Édition du Club France Loisirs, Paris,
avec l'autorisation des Éditions Fleurus

© 1989 Éditions Fleurus, Paris
ISBN 2 7242 4585 7
N° d'éditeur Club France Loisirs : 15 590
Dépôt légal : Janvier 1990
Achevé d'imprimer en novembre 1989
par l'imprimerie Pollina, 85400 LUÇON n° 11826

Activités manuelles

FRANCE LOISIRS
123, boulevard de Grenelle, Paris

Ces pages sont extraites de :

Pliages, contes et fables en origami,
Textes, créations et croquis de Elyane-Felez-Gueit
Photos de Dominique Farantos

Petits modèles en pâte à sel,
Texte, illustrations et modelages de Catherine Baillaud
Photos de Luc Berujeau

Maquillages d'enfants
Maquillages de Sylvette Pagan
Dessins de Martine Eichhorn d'après les croquis de l'auteur
Photos de Sylvette Pagan et Paul Pichon

Les goûters du mercredi
Texte et illustrations de Claire Lhermey
Photo, page 93, de Dominique Farantos

AU PROGRAMME

INTRODUCTION

Vous êtes en quête d'idées originales et facilement réalisables pour animer et colorer en un tour de main l'après-midi de vos enfants ? Voici la preuve par quatre, qu'à partir de trois fois rien, il est possible de s'amuser, de rêver, de créer et de faire la fête à l'improviste !

Cet ouvrage vous propose des activités faciles à réaliser et qui ne nécessitent aucun matériel particulier ; vous trouverez tout, ou presque, à portée de main, en fouillant dans vos placards et dans vos tiroirs.

Du pliage au modelage et au maquillage, avec, bien entendu !, une escale au goûter, choisissez le voyage qui vous plaît.

Les enfants adorent jouer avec les formes et les couleurs, proposez-leur de voir naître entre leurs mains les personnages de leurs chansons ou contes favoris ! concentrés sur quelques centimètres carrés de papier, ils découvriront la magie du pliage alliée au plaisir des mots. A moins qu'ils ne préférent s'improviser sculpteurs pour modeler, sur la table de la cuisine, leurs rêves en pâte à sel. Quant aux adeptes de la couleur et de la fête, ils se transformeront en souris, en fleur ou en poupée avec, quand même, l'aide d'un grand pour se maquiller et se costumer.

Tout cela ne peut s'achever qu'avec un goûter gai et coloré, tout aussi amusant à préparer qu'à savourer.

Quatre amies des enfants se sont associées pour vous proposer un maximum de bonnes idées et vous souhaiter de joyeux après-midi !

CONTES
FABLES ET CHANSONS
EN ORIGAMI

Quelle bonne idée que celle d'illustrer «Le chat botté», «Meunier, tu dors», «Le lièvre et la tortue», au moyen de pliages de papiers ronds! Elyane Felez-Gueit donne aux contes, aux fables et aux chansons de toujours des formes et des couleurs bien d'aujourd'hui.

DES HISTOIRES EN PAPIER

Tous les pliages accompagnent de petits contes, des fables et des chansons pour que les enfants prolongent, grâce à la magie de mots, leurs activités de pliage *.

L'ORIGAMI

Les premiers modèles d'origami créés au Japon remontent à 1500 ans. Depuis 1860, cette activité y est devenue obligatoire en milieu scolaire.

C'est une activité très riche et très formatrice. L'origami allie savoir, savoir-faire et plaisir.

Le pliage de papier est à la géométrie et aux mathématiques ce que l'image est à la lecture, les sons à la musique, les couleurs à la peinture.

Il fait appel à la psychomotricité fine puisqu'il exige précision du geste, méthode, attention, observation et mémoire.

Il développe également le sens de l'imagination, de la créativité, de l'orientation et de l'espace.

L'origami est donc une activité très complète qui permet aux enfants et aux adultes de trouver un terrain privilégié pour communiquer et partager de chaleureux moments.

MAIS POURQUOI DES RONDS

L'enfant est vivement intéressé par cette forme géométrique. Il joue à assembler des cercles entiers, demi ou quarts de cercles pendant de longs moments.

Le cercle est la forme géométrique de base. Il engendre le carré et toutes les autres figures. Il est aussi la forme de base des pliages en origami.

Matériel utilisé

Le compas, le double-décimètre, les ciseaux, une plaquette tire-cercles, les peintures, les crayons de couleurs, les encres, de la colle à prise rapide.

Les papiers : kraft ; léger ; souple ; souple-dur ; cadeaux ; argenté et métallisé pour les pliages les plus élémentaires ; affiche ; chute de papier tapissier, etc.

---

* Voir également du même auteur, aux Editions Fleurus *Pliages 2, histoires à raconter*, Collection Mille-pattes.

Quelques conseils

Commencer par réaliser les pliages les plus simples.

Le compas peut être remplacé par des matrices cartonnées ou en plastique, des couvercles, des capsules, etc. Tous les demi-cercles présentés dans cet ouvrage sont des cercles pliés en deux.

Marquer toujours le point central dès la première figure : c'est à partir de ce point qu'il faut mesurer.

Les plis seront droits si vous utilisez le double-décimètre. A l'endroit même où le pli doit être fait, relever le papier par-dessus et bien appuyer tout le long.

Les troncs d'arbres sont à réaliser avec un cercle entouré sur lui-même s'ils ne doivent pas tenir debout. Sinon, il est préférable de confectionner un cône. Pour les grandes dimensions, introduire une baguette rigide à l'intérieur.

Utiliser la colle avec parcimonie. Ne jamais l'étaler. Un point de colle suffit à assembler chaque partie.

Tous les modèles proposés peuvent être montés en mobiles aériens et muraux ; suspendus à une attache ; posés sur un meuble : employer du papier souple-dur dit « mi-teinte ».

Lorsque le pliage est terminé, dégager les plis pour donner du volume.

S'entraîner sur du papier ordinaire et léger. Recommencer jusqu'à ce que le pliage puisse être réalisé de mémoire.

Pour faire les yeux, dessiner ou coller des gommettes.

SOLFÈGE DU PLIEUR

Apprendre ces signes aux enfants est un bon exercice. Ce petit solfège simplifie aussi les explications.

plier devant, dessus ⟶

plier et remettre en place ⟷ plier derrière ⟶

plier à l'intérieur ⟶

retourner le pliage ⟶ retourner ou renverser le pli ⟶

plier et plisser ⟶

plisser en retournant le pliage à chaque fois ⟵⟶

MEUNIER, TU DORS

LE MEUNIER

Le corps : ⌀ 7 cm
La tête et le bonnet : ⌀ 3,4cm

Le corps est un cercle plié en deux.
La tête est un cercle entier.

Le bonnet

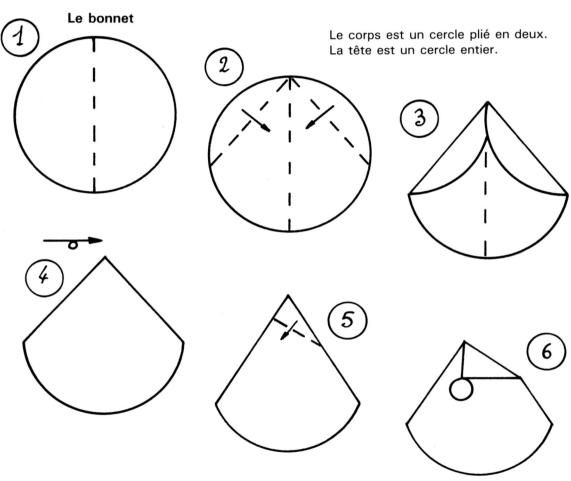

Rajouter un petit rond ou une
gommette pour faire le pompon.

Meunier tu dors
Ton moulin va trop vite

LE MOULIN

Le toit : ⌀ 7 cm
Le mur : ⌀ 10 cm
Les ailes : 4 cercles de ⌀ 5 cm

Les ailes sont des cercles pliés en deux.

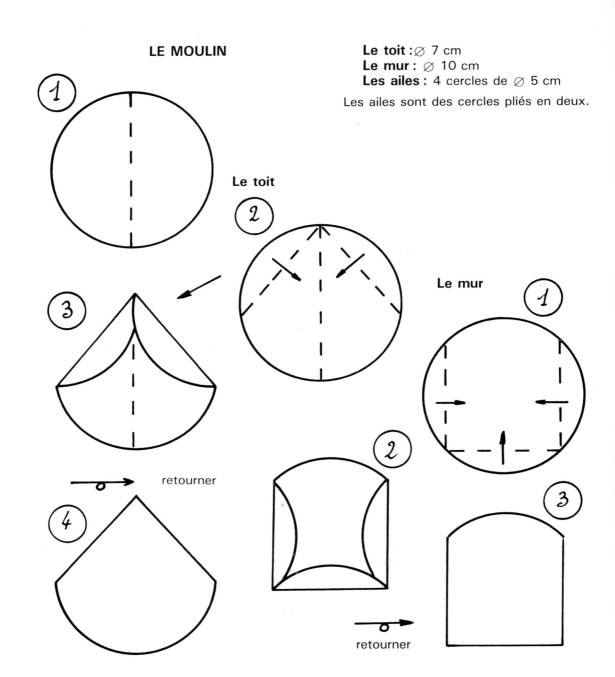

Le toit

Le mur

retourner

retourner

Meunier tu dors
Ton moulin va trop fort

LA MÈRE MICHEL

LA MÈRE MICHEL

Le corps : ∅ 14 cm
La tête et les cheveux : ∅ 8 cm
Le chignon : ∅ 3,4 cm
Les bras : ∅ 7 cm
Les pieds : ∅ 5 cm

La tête, le corps et le chignon sont des cercles entiers.
Les cheveux, les bras et les pieds sont des cercles pliés en deux.

LA POULE QUI BALANCE : ∅ 14 cm

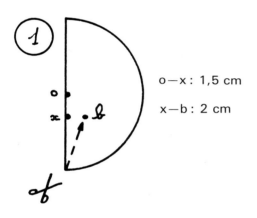

o—x : 1,5 cm

x—b : 2 cm

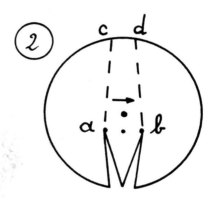

Marquer les plis, puis plier à l'envers suivant la ligne qui coupe le cercle en son milieu.

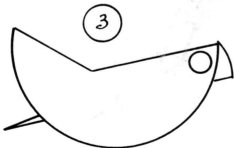

*C'est la mère Michel
Qui a perdu son chat*

LE CHAT

Le corps : $\varnothing$ 10 cm
Les pattes : $\varnothing$ 5 cm
La tête : $\varnothing$ 10 cm

Le corps et les pattes sont des cercles pliés en deux.

La tête

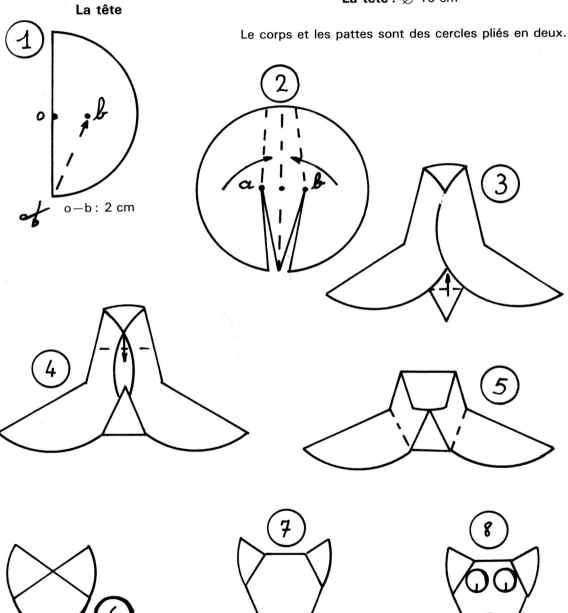

o—b : 2 cm

LE PETIT CHAPERON ROUGE

La robe et le chemisier : ⌀ 10 cm
La tête et le panier : ⌀ 4 cm
Le capuchon : ⌀ 5 cm
Les pieds : ⌀ 3,6 cm
Les cheveux : ⌀ 4 cm

La robe

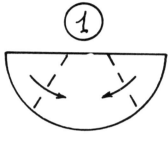

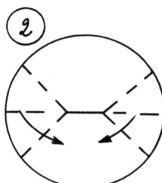

Renverser ces 2 plis

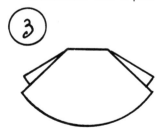

Le chemisier

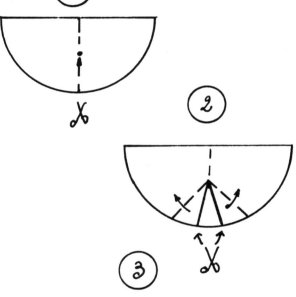

Fais vite ! fais vite !
Petit Chaperon Rouge...

Le capuchon

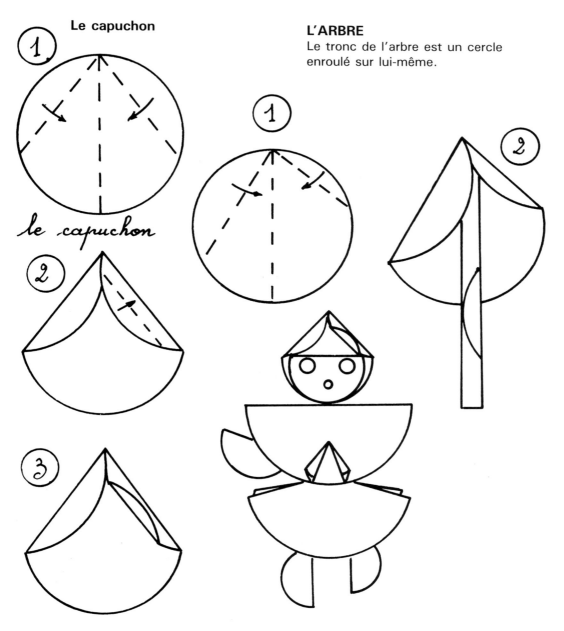

L'ARBRE
Le tronc de l'arbre est un cercle
enroulé sur lui-même.

le capuchon

Le panier, les pieds et les cheveux
sont des cercles pliés en deux.

Je vais voir ma mère-grand

LE LOUP
La tête : ⌀ 10 cm
Le corps : ⌀ 14 cm
La queue : ⌀ 7 cm

La queue est un cercle plié en deux.

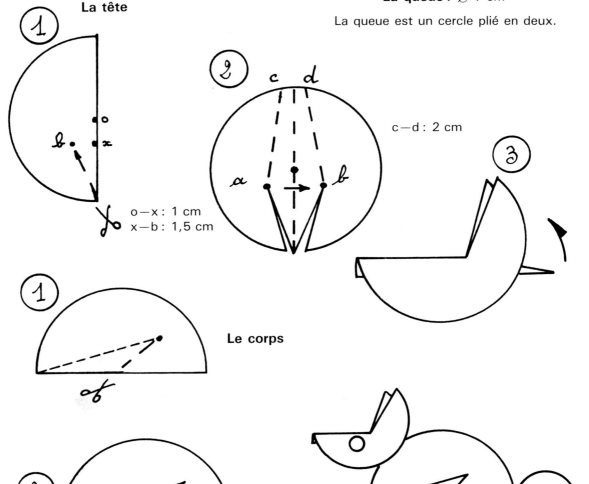

La tête

o−x : 1 cm
x−b : 1,5 cm

c−d : 2 cm

Le corps

Les deux parties du corps sont collées
à l'extérieur de la queue
et à l'intérieur de la tête.

*Il est dangereux de
s'arrêter près du loup...*

LA CHÈVRE DE M. SEGUIN

LA CHÈVRE

Le corps : ⌀ 10 cm
Les pattes : ⌀ 5 cm et 3,2 cm
La queue : ⌀ 2,8 cm
Le cou : ⌀ 3,8 cm
La tête : ⌀ 10 cm

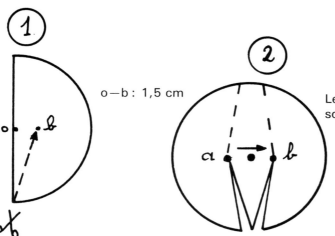

o—b : 1,5 cm

Le corps, les pattes, la queue et le cou sont des cercles pliés en deux.

Marquer le pli, puis replier vers l'intérieur, suivant la ligne qui partage le cercle en son milieu.

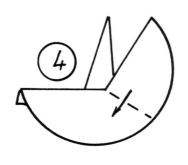

... plus de corde, plus de pieu

LA MAISON DE M. SEGUIN

La cheminée

Le toit

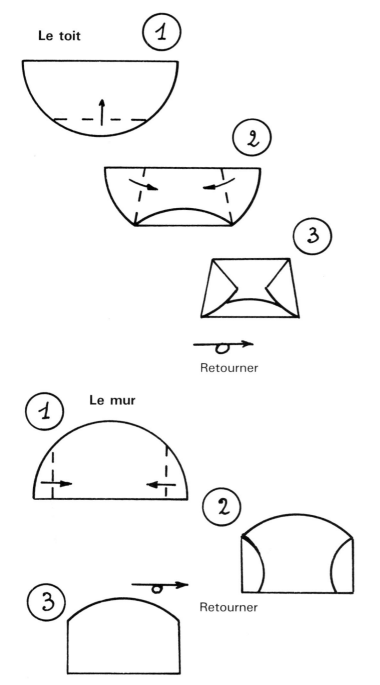

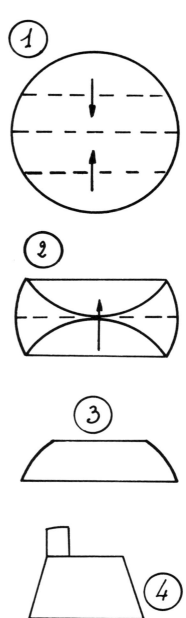

Retourner

Le mur

Retourner

L'ARBRE

Le feuillage

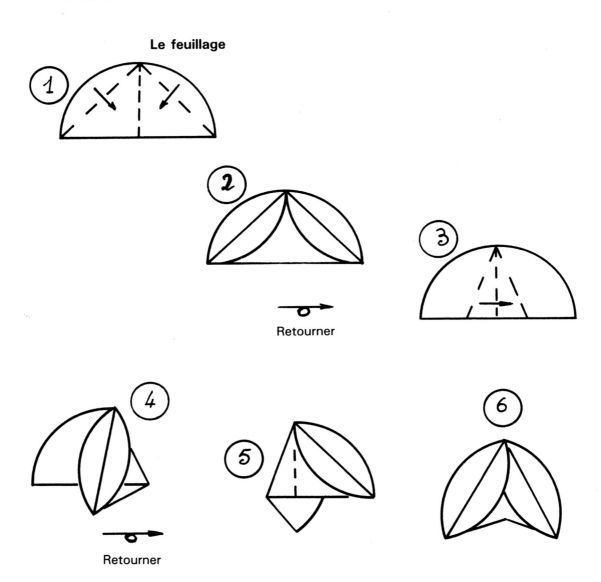

Le tronc est un cercle enroulé sur lui-même.

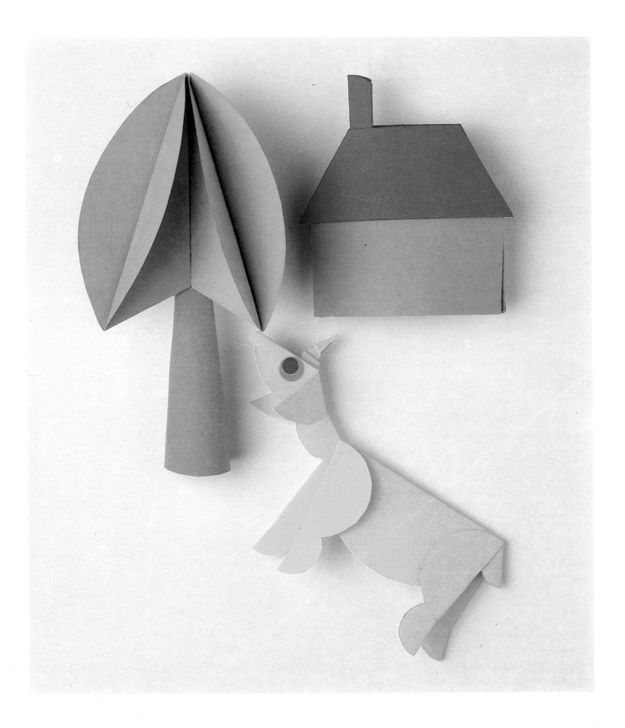

LE CHAT BOTTÉ

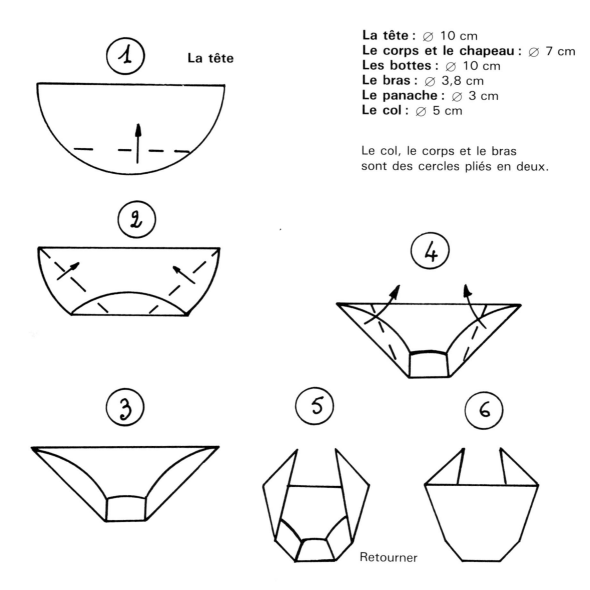

La tête : ⌀ 10 cm
Le corps et le chapeau : ⌀ 7 cm
Les bottes : ⌀ 10 cm
Le bras : ⌀ 3,8 cm
Le panache : ⌀ 3 cm
Le col : ⌀ 5 cm

Le col, le corps et le bras sont des cercles pliés en deux.

La tête

Retourner

Ne vous affligez pas mon maître ...

LE CHAPEAU ET LE PANACHE DU CHAT BOTTÉ

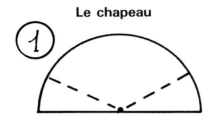

Le chapeau

Figure 3 : écarter l'arrondi
et renverser l'arrière sur l'avant
en pinçant bien le pli.

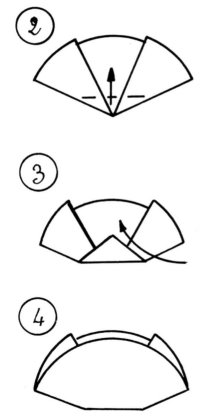

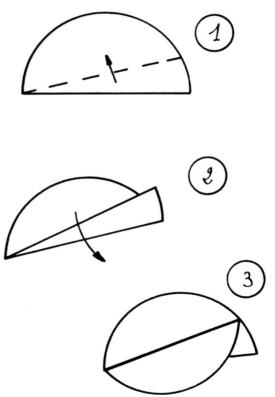

LES BOTTES

Pour obtenir de grandes bottes : ⌀ 14 cm

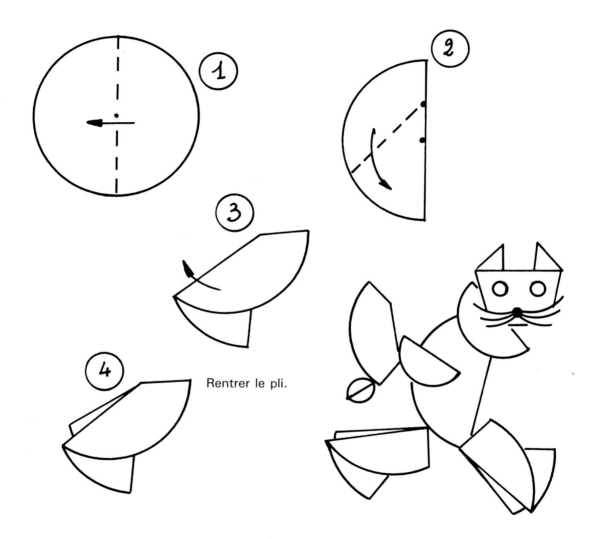

Rentrer le pli.

Faites-moi une paire de bottes pour aller dans les broussailles...

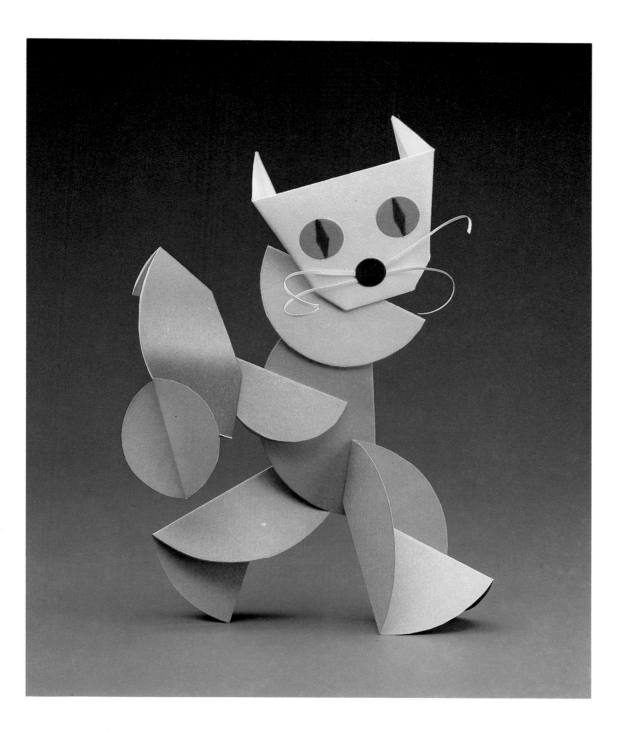

LE CORBEAU ET LE RENARD

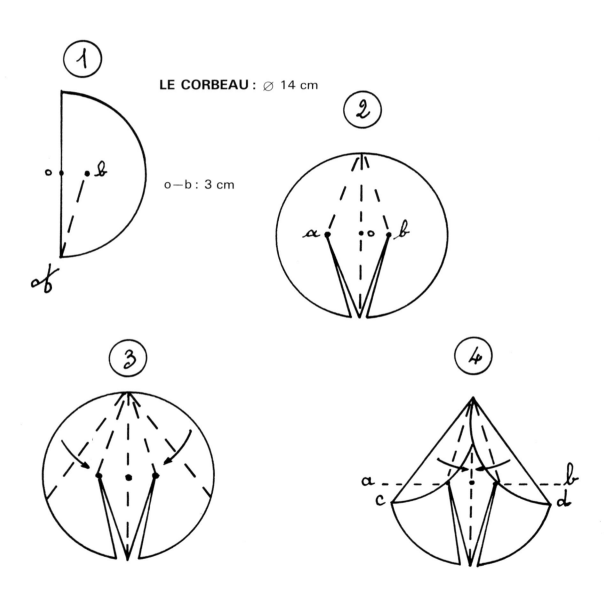

LE CORBEAU : ∅ 14 cm

o—b : 3 cm

*Maître corbeau sur
un arbre perché...*

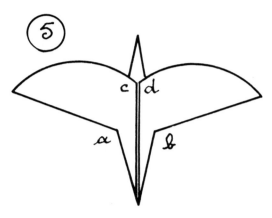

Figure 5 : amener c et d sur le pli vertical.

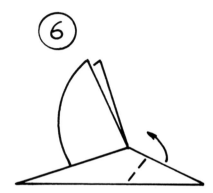

Figures 6 et 7 : écarter la pointe et renverser le pli.

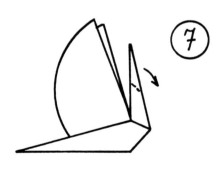

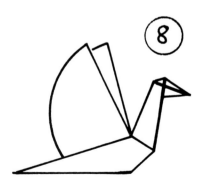

... *tenait dans son bec un fromage.*

L'ARBRE

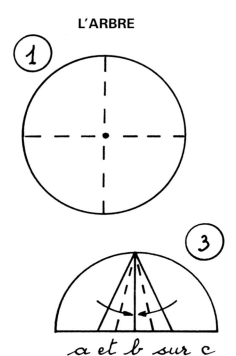

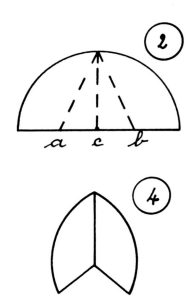

Le tronc est un cercle enroulé sur lui-même.

LE RENARD   **La tête et le corps :** ⌀ 14 cm
La queue : ⌀ 5 cm

La queue est un cercle plié en deux.

Le corps

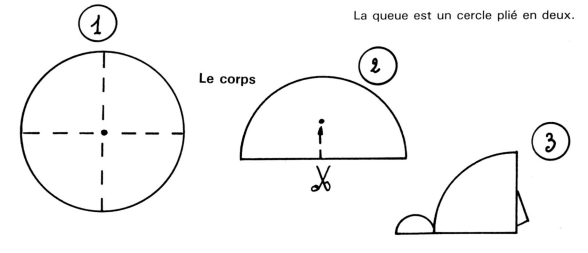

*Maître renard
par l'odeur alléché...*

La tête

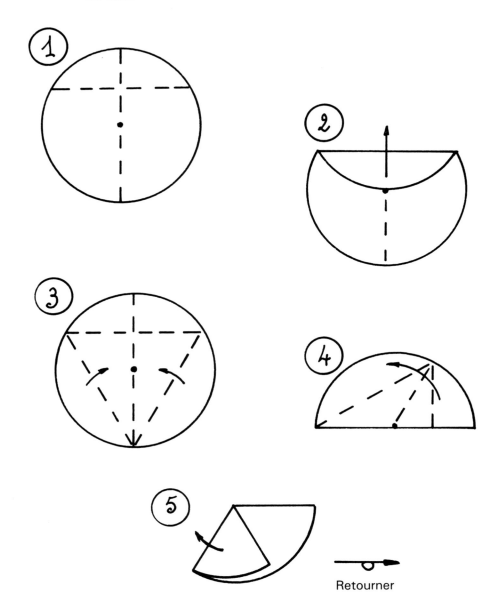

Retourner

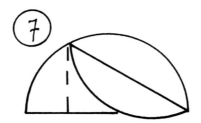

Renverser e—b

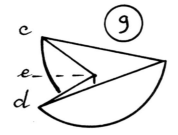

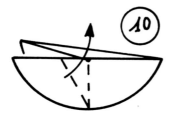

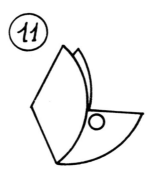

LE LIÈVRE ET LA TORTUE

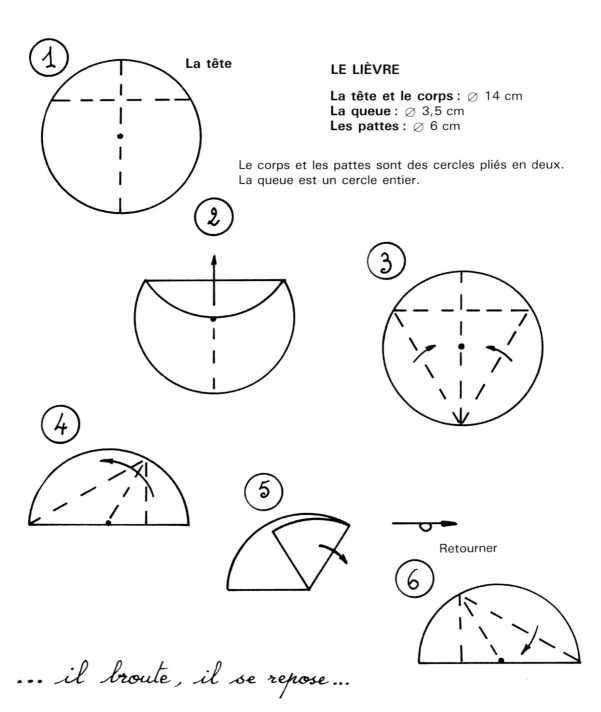

1 La tête

LE LIÈVRE

La tête et le corps : ⌀ 14 cm
La queue : ⌀ 3,5 cm
Les pattes : ⌀ 6 cm

Le corps et les pattes sont des cercles pliés en deux.
La queue est un cercle entier.

2

3

4

5

Retourner

6

... il broute, il se repose ...

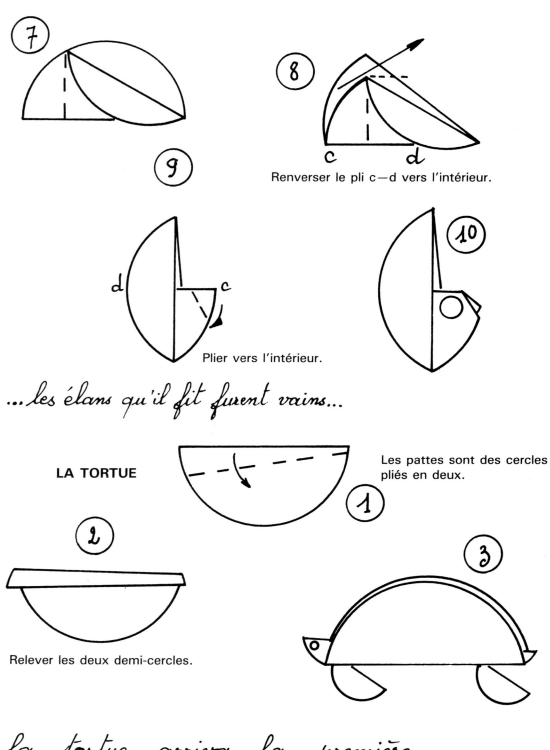

Renverser le pli c—d vers l'intérieur.

Plier vers l'intérieur.

...les élans qu'il fit furent vains...

LA TORTUE

Les pattes sont des cercles pliés en deux.

Relever les deux demi-cercles.

la tortue arriva la première.

ÉLÉMENTS DE DÉCOR

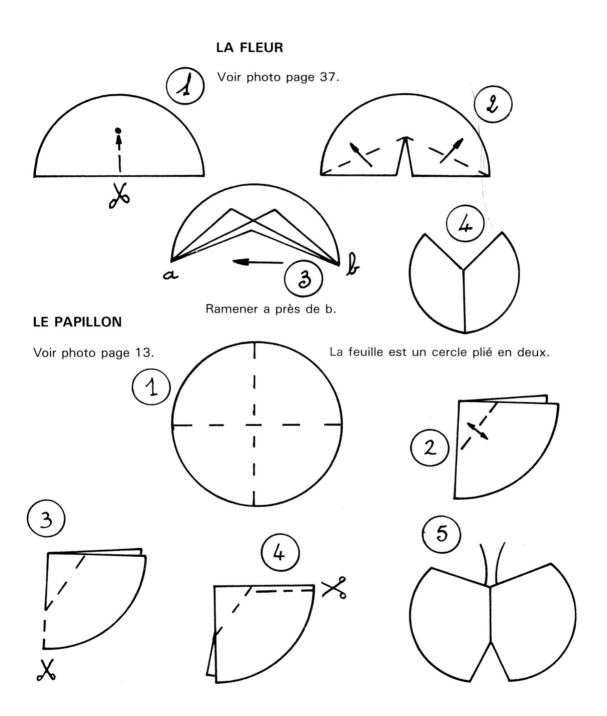

LA FLEUR

Voir photo page 37.

Ramener a près de b.

LE PAPILLON

Voir photo page 13.

La feuille est un cercle plié en deux.

OBJETS
ET PERSONNAGES
EN PÂTE À SEL

De la farine, du sel et de l'eau, voici la pâte à sel ! Les impatients, les inventifs de tous les âges y trouveront leur plaisir. Catherine Baillaud met ses mains dans les vôtres et y fait naître de merveilleux objets.

POUR LES IMPATIENTS, LES INVENTIFS

Quel enfant ne fourmille d'idées et ne cherche à les réaliser sans délai ? Quel matériau, quelle technique mieux que la pâte à sel peut permettre ce passage à l'acte, à l'objet fini, durable et solide ?

Un cadeau à offrir ? Une décoration à imaginer, des jeux à concrétiser ? Allez à la cuisine, vous y trouverez assez de farine et de sel pour réaliser vos projets.

Voici, pour les impatients, les inventifs, les généreux, des modèles à copier pour se faire la main et comprendre les possibilités de la pâte à sel. Ils les familiariseront avec une technique facile à comprendre et à assimiler.

Tous les modèles présentés ici peuvent être séchés au lieu d'être cuits. Ils seront simplement moins solides et il faudra veiller à ce que leurs soudures soient efficaces.

De petits enfants peuvent les reproduire : ils sauront leur apporter spontanément des modifications.

L'essentiel est de respecter les principes techniques et de savoir rechercher des formes nettes et soignées.

En raison de leur taille, les modelages proposés ici sont d'une cuisson facile. Plus grands, ils seraient plus délicats et plus longs à cuire ; plus petits (si vous êtes minutieux), ils seront tout aussi solides et jolis, et cuits en un rien de temps.

Installez-vous sur une toile cirée, à proximité d'un point d'eau pour vous laver les mains dès que le sel les dessèche.

Evidemment, les gourmands finiront par faire ces modelages en pâte d'amande ! L'exercice de la pâte à sel les aura préparés à aborder d'autres matières plus complexes et coûteuses. rappelons en effet que la pâte à sel est immangeable. Naturelle ou colorée avec des colorants alimentaires, elle n'est toutefois pas toxique. C'est donc un excellent matériau à proposer aux petits.

Ce chapitre propose volontairement des réalisations simples. Pour en savoir plus long sur les possibilités presque sans fin de la pâte à sel, nous renvoyons le lecteur à notre ouvrage : *Pâte à sel**.

---

* Collection Manie-Tout, aux Editions Fleurus.

MATÉRIEL NÉCESSAIRE

SEL DE TABLE FIN

FARINE ORDINAIRE

ALUMINIUM POUR LA CUISSON

TROMBONES

PLASTIQUE POUR GARDER LA PÂTE À L'ABRI DE L'AIR

SPAGHETTI CANNELLONI MACARONI TORSETTES...

COUTEAU À LAME FINE

ENCRES PLUMES FEUTRES

CRAYONS AQUARELLES GOUACHES PINCEAUX

UNE OUVERTURE LARGE POUR PLONGER LES OBJETS ET LES VERNIR RAPIDEMENT

VERNIS À BOIS POUR PROTÉGER LES MODELAGES DE L'HUMIDITÉ

EAU

RECETTE

① UNE DOSE DE SEL FIN
DEUX DOSES DE FARINE
DE L'EAU
② MOUILLER LE SEL
(SANS L'INONDER)
③ AJOUTER LA FARINE ET
UN MINIMUM D'EAU

Trois ingrédients sont nécessaires : du sel fin, de la farine ordinaire et de l'eau.

Le sel

Eviter le sel de mer, dont les cristaux restent apparents (il abîme la peau si l'on fait de grosses quantités de pâte), et préférer, si l'on veut une pâte lisse et douce, le sel d'extraction minière (sel de table).

L'eau

Il faut en mettre le minimum, et donc l'ajouter progressivement. La pâte doit être ferme, et ne doit pas s'affaisser une fois modelée. Si la pâte est trop molle, on peut lui ajouter de la farine ; le mieux est d'apprendre à la réussir du premier coup en ajoutant l'eau progressivement.

Les colorants

La gouache, les encres, le café soluble, etc. permettent d'obtenir de belles pâtes colorées.

UN BON TEST :
SI LA PÂTE DRESSÉE SUR LA TABLE RETOMBE, LES MODELAGES FERONT DE MÊME !

44

CONSEILS
DE MODELAGE

Il faut rechercher des volumes nets, et comme la pâte a tendance à dessécher à l'air, travailler vite, et juste.

La réussite d'un modelage en pâte tient au choix des volumes. Il est déconseillé de travailler la pâte à sel à partir d'une masse, comme on le ferait avec de la terre glaise : les modelages triturés, étirés et retouchés ont un aspect irrégulier et maladroit ; de plus ils ne supportent pas la cuisson (ces surfaces présentent toujours de grosses boursouflures).

Si l'on fait des masques, ou des visages, il faut rajouter des masses et ne pas chercher à retirer de la matière. Le style des modelages en sera forcément influencé mais donnera toute satisfaction à la cuisson et au regard.

NE PAS CHERCHER À OBTENIR DES VOLUMES À PARTIR D'UNE MASSE DE PÂTE.

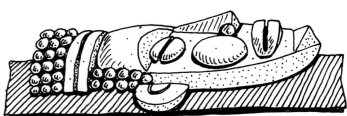

AU CONTRAIRE, PRÉPARER LES VOLUMES DE PÂTE AVANT DE LES UTILISER.

Plus les modelages sont grands, plus ils demandent à être traités par masses nombreuses, ce qui permet de répartir les risques de gonflement, et d'obtenir des coloris différents.

Pour des petits volumes (moins de 4 cm), les gonflements ne sont jamais catastrophiques et la pâte peut être poussée et étirée.

SUR DE PETITS VOLUMES, LA PÂTE SUPPORTE BIEN D'ÊTRE ENFONCÉE ET PINCÉE.

POUR DESSINER DANS LA PÂTE, TENIR LA LAME VERTICALE

ET L'ENFONCER SUFFISAMMENT.

QUELS VOLUMES UTILISER?

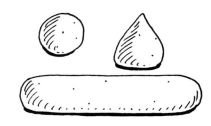

Les volumes de pâte roulée, allongée, étirée, aplatie puis pliée supportent bien la cuisson.

Eviter les découpes au couteau délimitant des surfaces absolument plates : la cuisson en est difficile à contrôler.

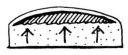

À LA CUISSON, LA PÂTE GONFLE EN SURFACE.

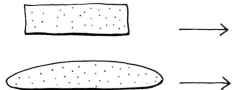

LES GONFLEMENTS SONT MOINS VISIBLES SUR DES VOLUMES ARRONDIS.

Réduire les surfaces en les multipliant : on évite ainsi les grosses cloques à la cuisson ; le gonflement de la pâte est bien réparti et permet aux éléments de se souder parfaitement.

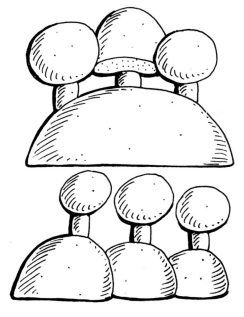

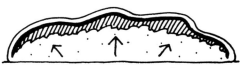

PLUS LE VOLUME DE PÂTE EST GRAND, PLUS IL RISQUE DE CLOQUER.

ATTACHES

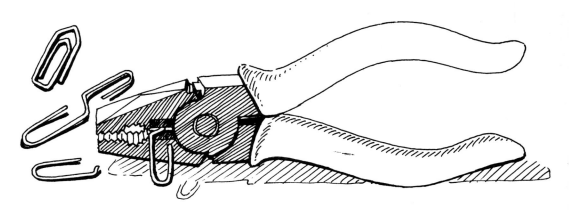

Les trombones sont très commodes. Coupés en deux, et piqués dans la pâte avant la cuisson, ils font des attaches absolument solides.

ENFONCER L'ATTACHE

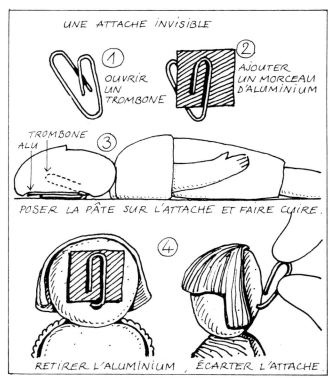

UNE ATTACHE INVISIBLE

① OUVRIR UN TROMBONE

② AJOUTER UN MORCEAU D'ALUMINIUM

TROMBONE ALU

③ POSER LA PÂTE SUR L'ATTACHE ET FAIRE CUIRE.

④ RETIRER L'ALUMINIUM, ÉCARTER L'ATTACHE

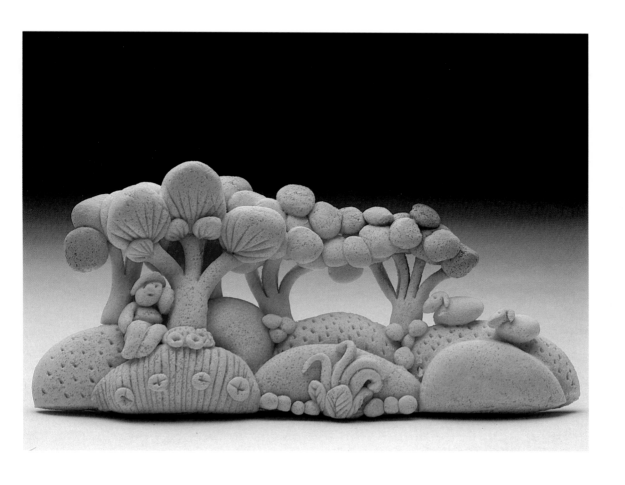

CUISSON OU SÉCHAGE

N'ATTENDEZ PAS POUR LA CUISSON

Le séchage avant cuisson n'améliore pas l'aspect de la pâte qui devient poreuse ; les parties soudées risquent en desséchant à l'air de se détacher à la cuisson.

Vos modelages peuvent attendre le moment de la cuisson si vous les protégez par un film de plastique.

Tous les modèles proposés ici peuvent être cuits à four moyen (180°C, 5 au thermostat). le temps de cuisson dépend de la taille des objets et de leur quantité. Plus ils sont petits, moins leur cuisson est délicate ; surveiller constamment.

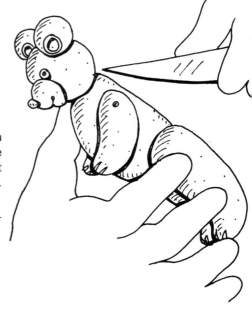

Pour gagner du temps, retirer dès que possible, quand la pâte est déjà bien dure, le papier d'aluminium ; remettre ensuite au four sans retourner les modelages (qui seraient alors tachés) jusqu'à ce qu'ils soient absolument secs. Baisser la température si la pâte brunit trop vite.

Vérifier avant de peindre et vernir que la pâte est parfaitement cuite : la lame ne doit s'enfoncer nulle part.

PÂTE SÉCHÉE : ÉVITEZ LES ÉPAISSEURS

Support de séchage : papier, carton (pas d'aluminium).

1. Les masses de pâte trop épaisses ne peuvent sécher correctement sans se fissurer et se rétracter. Il faut donc

éviter les volumes importants et ne pas espérer obtenir des boules ou des cubes parfaits.

2. Au contraire ces mêmes volumes, aplatis, sèchent parfaitement. Plus leur surface à l'air augmente, mieux le séchage se fait. Ne pas y toucher durant le séchage pour éviter les fissures. On obtient une galette aux bords bien nets en écrasant une boule de pâte. Pour des formes rectilignes et nettes, découper au couteau.

3. La pâte aplatie permet bien sûr des constructions variées qui sèchent très bien.

4. Plus une plaque de pâte est grande, plus ses angles (qui sèchent plus vite) ont tendance à se rétracter. La retourner fréquemment pendant le séchage.

La soudure. C'est le point sensible de la pâte séchée à l'air. A la cuisson, c'est en gonflant que les éléments de pâte se soudent. Au séchage, il faut compter sur la rétraction des masses et exagérer chaque soudure : humidifier la pâte ou faire des incrustations en enfonçant plus ou moins les détails ajoutés dans le support.

Des décors de pâte colorée, des reliefs légers et des empreintes suffisent à enrichir des surfaces plates.

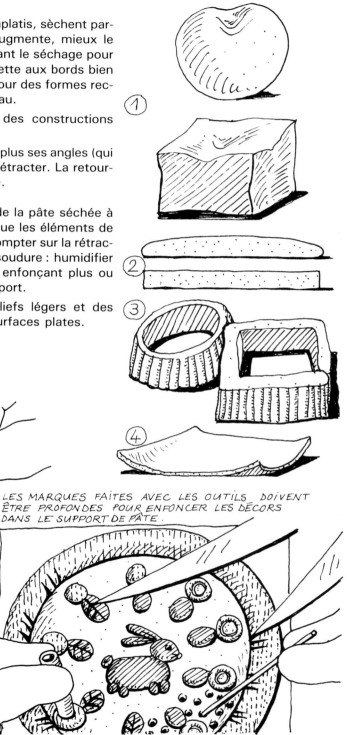

DÉCORER DES SURFACES PLATES

FIXER LES AJOUTS AVEC L'INDEX

LES MARQUES FAITES AVEC LES OUTILS DOIVENT ÊTRE PROFONDES POUR ENFONCER LES DÉCORS DANS LE SUPPORT DE PÂTE.

Le séchage à l'air demande beaucoup de temps. Il est préférable de faire de petits modelages. En hiver, sur un radiateur, ils sèchent rapidement.

La pâte à sel est plus fragile séchée que cuite : aussi éviter les volumes trop maigres et réaliser des objets massifs.

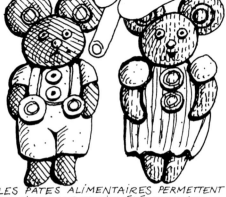

LES PÂTES ALIMENTAIRES PERMETTENT DE FIXER LES PETITS ÉLÉMENTS (YEUX, BOUTONS ...) EN LAISSANT DE JOLIES MARQUES

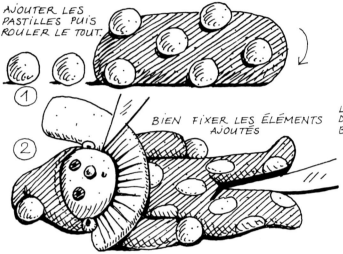

AJOUTER LES PASTILLES PUIS ROULER LE TOUT.

① ②

BIEN FIXER LES ÉLÉMENTS AJOUTÉS

EN COUPE :

ALUMINIUM
PÂTE

①

Modelages en ronde bosse

Pour travailler verticalement, une armature est nécessaire au-delà de 3 cm. Un objet plein ne peut pas sécher correctement. Faire des boules de papier, ou d'aluminium. Les recouvrir de pâte et bien fixer les détails en évitant trop d'épaisseur.

② ③

UTILISER DES VOLUMES TOUT SIMPLES

Préparer des boules et des boudins. Il faut s'exercer à les modeler parfaitement. Les éléments se soudent par simple pression, grâce à l'humidité de la pâte.

Les marques ajoutées à l'aide d'un outil accentuent la soudure sans abîmer les volumes.

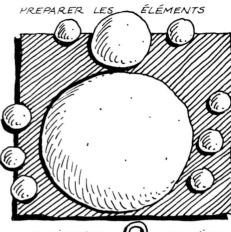

PRÉPARER LES ÉLÉMENTS

UTILISER DES COULEURS DIFFÉRENTES

LES DISPOSER AVEC L'INDEX

DISPOSER LES ÉLÉMENTS DIRECTEMENT SUR L'ALUMINIUM : CELA PERMET DE DÉPLACER LE MODELAGE ET DE LE METTRE AU FOUR SANS L'ABÎMER

LES EMPREINTES AJOUTÉES PERMETTENT AUX PÉTALES DE SE SOUDER DAVANTAGE.

POUR ÊTRE BELLES, LES MARQUES DOIVENT ÊTRE PROFONDES, ET IMPRIMÉES VERTICALEMENT

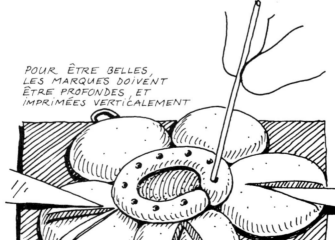

RAYONS ET PÉTALES : TENIR LA LAME HORIZONTALE ET APPUYER SUR LA PÂTE. UNE PRESSION DE HAUT EN BAS N'ARRACHE PAS LA PÂTE ET LAISSE DE BELLES MARQUES.

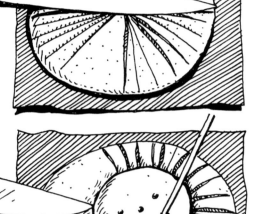

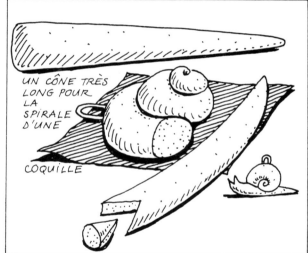

UN CÔNE TRÈS LONG POUR LA SPIRALE D'UNE

COQUILLE

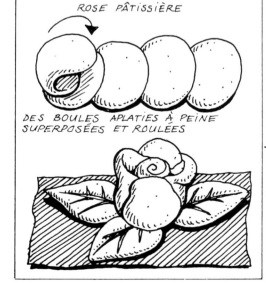

ROSE PÂTISSIÈRE

DES BOULES APLATIES À PEINE SUPERPOSÉES ET ROULÉES

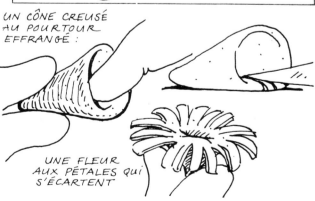

UN CÔNE CREUSÉ AU POURTOUR EFFRANGÉ :

UNE FLEUR AUX PÉTALES QUI S'ÉCARTENT

BONSHOMMES

Associer les éléments sans les déformer :
ils se soudent tout seuls à la cuisson.

UTILISER
LE COUTEAU
POUR COUPER
ET DÉPLACER
LES ÉLÉMENTS
SANS LES
ABÎMER.

Les décorer au feutre, à la plume ou au pinceau.
Les vernir pour les protéger.

ANIMAUX

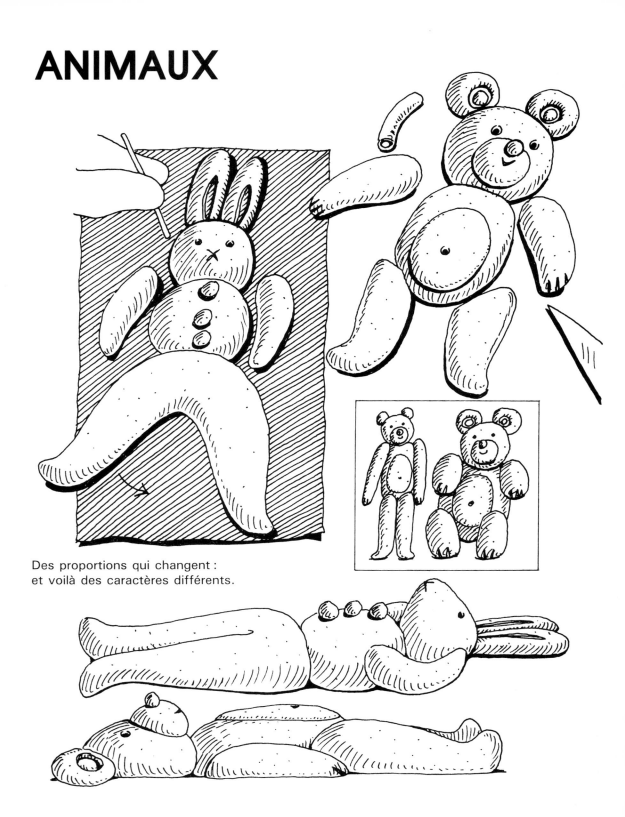

Des proportions qui changent :
et voilà des caractères différents.

UNE FINITION SOIGNÉE

Roulés dans le creux des mains ou sur une surface bien
lisse, ces volumes peuvent être finement décorés à la plume.

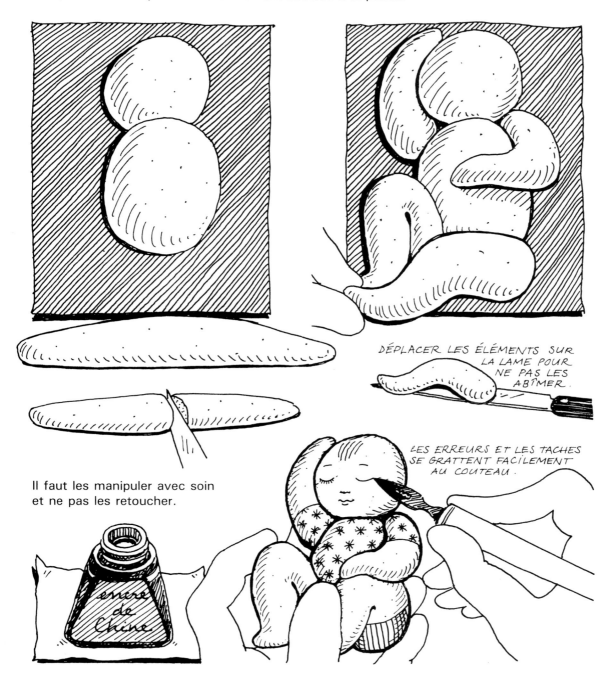

DÉPLACER LES ÉLÉMENTS SUR
LA LAME POUR
NE PAS LES
ABÎMER.

Il faut les manipuler avec soin
et ne pas les retoucher.

LES ERREURS ET LES TACHES
SE GRATTENT FACILEMENT
AU COUTEAU.

ARMATURES EN CANNELLONI

Ces énormes pâtes permettent de réaliser des objets creux.
Les recouvrir de pâte à sel avant de réaliser vos idées.

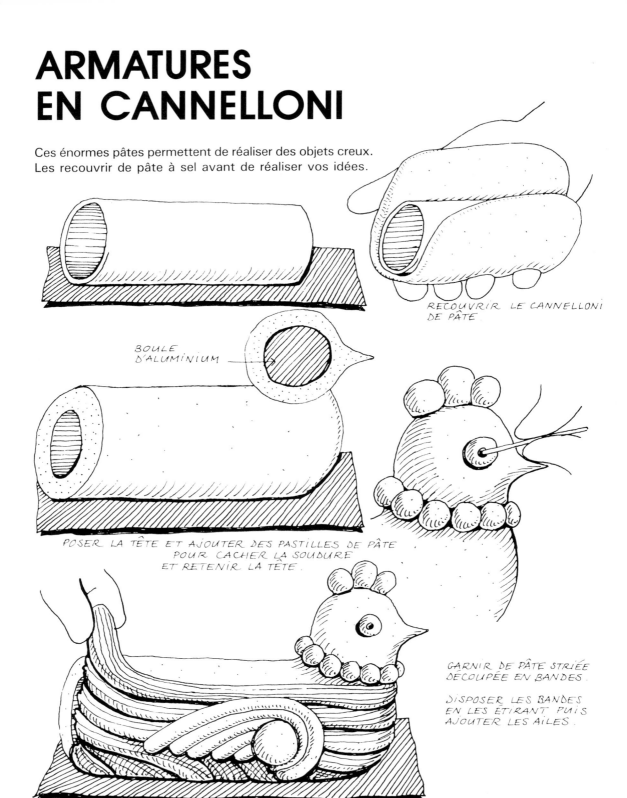

RECOUVRIR LE CANNELLONI DE PÂTE.

BOULE D'ALUMINIUM

POSER LA TÊTE ET AJOUTER DES PASTILLES DE PÂTE POUR CACHER LA SOUDURE ET RETENIR LA TÊTE.

GARNIR DE PÂTE STRIÉE DÉCOUPÉE EN BANDES.

DISPOSER LES BANDES EN LES ÉTIRANT PUIS AJOUTER LES AILES.

61

La cuisson des objets est plus délicate et demande un four moins chaud (th. 4). Limiter les volumes. Une tête peut être faite autour d'une boule d'aluminium : l'humidité se dégagera régulièrement. Au contraire, une boule de pâte pleine cuira d'abord en surface, mais éclatera lorsque l'humidité du centre cherchera à se dégager.

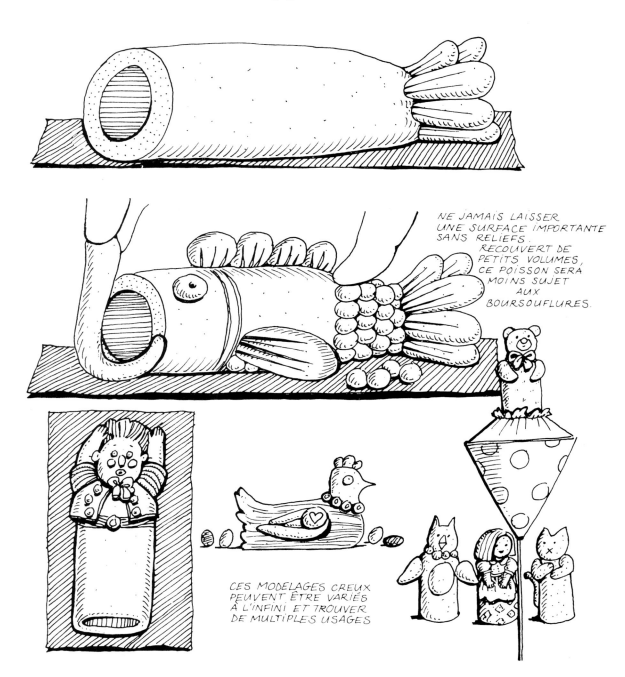

NE JAMAIS LAISSER UNE SURFACE IMPORTANTE SANS RELIEFS. RECOUVERT DE PETITS VOLUMES, CE POISSON SERA MOINS SUJET AUX BOURSOUFLURES.

CES MODELAGES CREUX PEUVENT ÊTRE VARIÉS À L'INFINI ET TROUVER DE MULTIPLES USAGES

HABILLER
UN PERSONNAGE

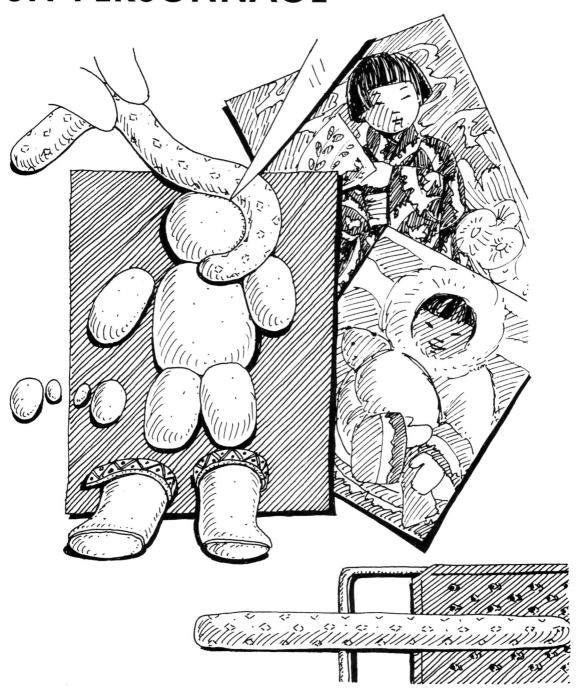

Observer des documents, les interpréter, enrichit
l'imagination et permet de varier sujets et motifs.

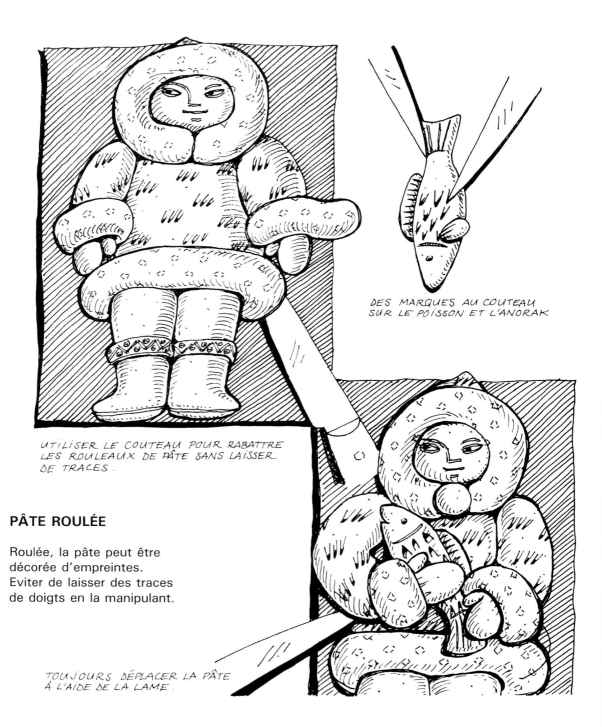

DES MARQUES AU COUTEAU
SUR LE POISSON ET L'ANORAK

UTILISER LE COUTEAU POUR RABATTRE
LES ROULEAUX DE PÂTE SANS LAISSER
DE TRACES.

PÂTE ROULÉE

Roulée, la pâte peut être
décorée d'empreintes.
Eviter de laisser des traces
de doigts en la manipulant.

TOUJOURS DÉPLACER LA PÂTE
À L'AIDE DE LA LAME.

PÂTE PLISSÉE ET STRIÉE

Aplatir très finement la pâte et l'utiliser comme un tissu.
La manipuler délicatement.

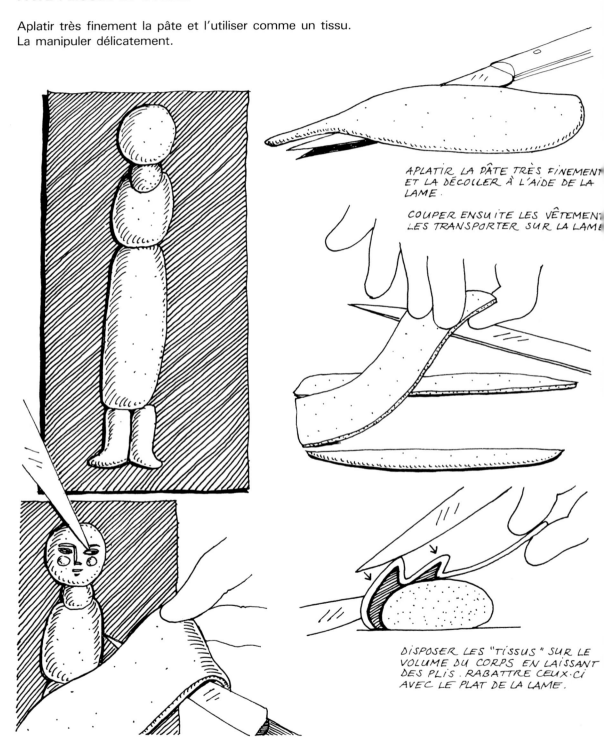

APLATIR LA PÂTE TRÈS FINEMENT
ET LA DÉCOLLER À L'AIDE DE LA
LAME.

COUPER ENSUITE LES VÊTEMENTS
LES TRANSPORTER SUR LA LAME

DISPOSER LES "TISSUS" SUR LE
VOLUME DU CORPS EN LAISSANT
DES PLIS. RABATTRE CEUX-CI
AVEC LE PLAT DE LA LAME.

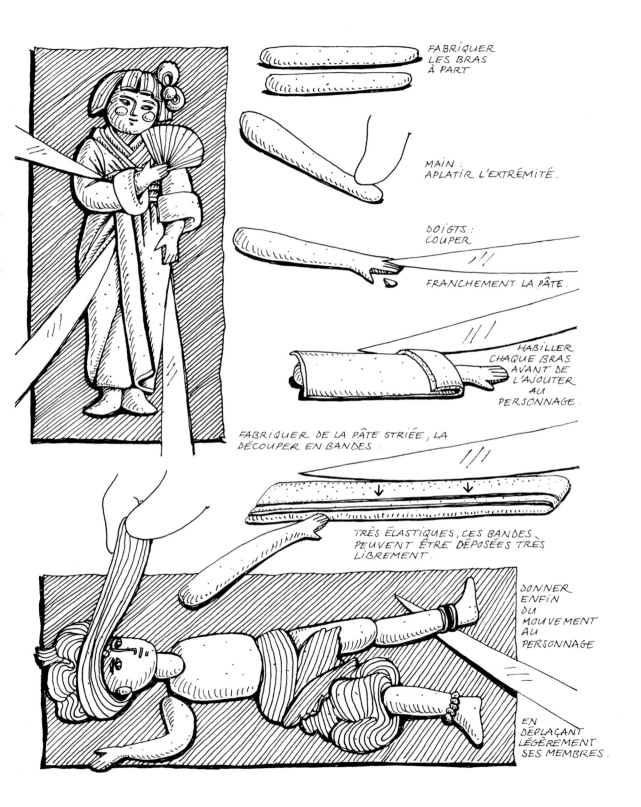

FABRIQUER
LES BRAS
À PART.

MAIN :
APLATIR L'EXTRÉMITÉ.

DOIGTS :
COUPER

FRANCHEMENT LA PÂTE.

HABILLER
CHAQUE BRAS
AVANT DE
L'AJOUTER
AU
PERSONNAGE.

FABRIQUER DE LA PÂTE STRIÉE, LA
DÉCOUPER EN BANDES

TRÈS ÉLASTIQUES, CES BANDES
PEUVENT ÊTRE DÉPOSÉES TRÈS
LIBREMENT.

DONNER
ENFIN
DU
MOUVEMENT
AU
PERSONNAGE

EN
DÉPLAÇANT
LÉGÈREMENT
SES MEMBRES.

MAQUILLAGES ET COSTUMES DE FÊTE

Devenez un peu fée avec Sylvette Pagan et le Théâtre du Bout des Mains. Des maquillages bavards, des maquillages coquins, des costumes faciles et colorés, des perruques, pour tous les enfants, des plus sages aux plus délurés.

LES "COULISSES", OU COMMENT S'INSTALLER

Installation

Pour maquiller, il faut avoir une bonne position, confortable surtout pour le modèle.

Les enfants ayant les cervicales fragiles, ils supportent mal d'avoir la tête penchée en arrière pendant la durée du maquillage qui peut varier de 10 minutes à plusieurs heures. On doit donc tout de suite s'habituer à travailler sur un visage en position droite.

On peut mettre un oreiller entre la tête de l'enfant et le dossier de la chaise. On peut même coucher l'enfant et rouler son pull ou sa veste sous sa tête.

Il ne faut pas non plus appuyer la main sur son visage. Il faut apprendre à ne le toucher que par le pinceau et le petit doigt qui sert d'appui.

Si un enfant est bien installé, il ne bouge pas — même un petit — s'il a décidé de se laisser maquiller, bien sûr.

Choix du maquillage

Choisir le maquillage en fonction de l'enfant : ses goûts, sa personnalité, etc. S'il est très jeune, ne pas insister pour lui maquiller les paupières s'il n'y tient pas, ni la bouche s'il se suce les doigts.

Pour les tout-petits : une coccinelle sur le nez ! Fascinés en se regardant dans la glace, ils essaieront de l'attraper...

Que faire avec des lunettes ?

Si l'enfant porte des lunettes, il n'y a pas de problème particulier, mais il peut être amusant d'en tenir compte et de les intégrer au maquillage comme toute autre particularité du visage. Les maquillages d'animaux conviennent bien. On peut dessiner des papillons ou des oiseaux sur les sourcils, ils sembleront posés sur la monture. Des personnages peuvent faire joyeusement du trapèze en paraissant s'accrocher aux branches, etc.

Les lunettes peuvent être décorées : mettre du gel à cheveux sur la monture et poser des paillettes, ou coller les paillettes avec de la colle à postiche (voir page 83). Pour nettoyer la monture et la débarrasser de toute trace de colle, utiliser de l'alcool à 90°.

De bons produits

Pour un beau travail, il faut de bons produits*. Ils ne sont d'ailleurs pas plus onéreux que les autres, car on en utilise moins. La plupart sont anallergiques. Lors de nos nombreuses animations, nous n'avons jamais eu de problèmes d'allergie, même avec des enfants sujets à l'eczéma (dans ce cas, le matériel doit être désinfecté à l'alcool à 90°).

Des enfants ont même gardé leur maquillage jusqu'au lendemain, malgré les parents et les caresses des draps. D'ailleurs, certains n'étaient pas trop abîmés. Comment ont-ils dormi ?

Très important : les pinceaux

Nous utilisons des pinceaux « spécial maquillage » à poils de martre ou poils de vison. C'est un choix indispensable pour avoir un maquillage net.

Nous utilisons des pinceaux du n° 0 au n° 20 ; mais pour les maquillages de ce livre, les numéros 0, 4 et 12, plus un pinceau à pommettes, suffisent. Les autres produits et accessoires seront expliqués au fur et à mesure des besoins.

Base du maquillage

Il est inutile de mettre une crème de base avant de maquiller, car le maquillage se fixerait moins bien et se brouillerait plus rapidement. Nous avons déjà dit que nous utilisons de bons produits, souvent à base de corps gras, ou hydratants, qui n'irritent pas la peau. Si vous choisissez des produits bas de gamme, vous risquez d'avoir quelques problèmes. Dans ce cas, protégez au moins un peu la peau avec une crème de base grasse et hydratante.

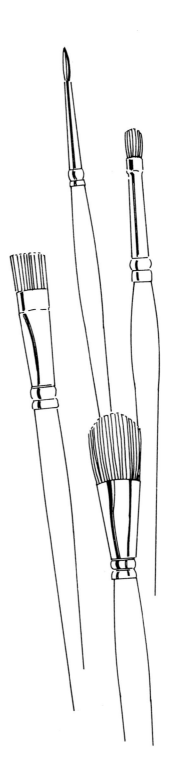

* Les produits Kryolan par exemple. Tous les produits de maquillage, postiches, etc. se trouvent dans les magasins de farces et attrapes, activités manuelles, magasins spécialisés. N'hésitez pas à demander conseil au vendeur.

Démaquillage

Un bon démaquillage est indispensable dans tous les cas. Le plus simple est de prendre un produit démaquillant à base de vaseline.

Passer le produit sur le visage, comme une crème. Attendre un instant, puis masser doucement jusqu'à ce que le produit prenne une couleur foncée. Enfin, essuyer doucement avec des mouchoirs en papier. S'il reste des traces, recommencer. Terminer au lait de toilette enfant. Nos enfants de 5 ans le font seuls, et avec amusement. Il est inutile de rincer, ou de passer une crème, après s'être démaquillé.

Ceci étant le meilleur démaquillage, nous n'en conseillerons aucun autre. D'autant qu'il ne pique pas les yeux.

Nous utiliserons aussi ce démaquillant pour nettoyer nos pinceaux.

Attention : ne jamais essayer d'enlever le maquillage à sec, ou de frotter fortement, même avec du démaquillant. Cela pourrait provoquer une inflammation.

MAQUILLAGE SANS FOND DE TEINT

A réaliser en 10 à 20 mn.

Ces maquillages sont constitués de motifs entourant les yeux et la bouche et sont souvent ponctués d'une touche de couleur sur le nez. Ce sont les parties les plus vivantes du visage, aussi ces maquillages sont-ils tout à fait adaptés pour des animations. Les maquillages de clowns et d'animaux sont les thèmes favoris des enfants. Les garçons aiment aussi les maquillages d'indiens.

MATÉRIEL DE BASE

Pour ces maquillages simples, mais qui peuvent être spectaculaires, très peu de produits sont nécessaires :
— Fards à l'eau : une palette de 6 couleurs de base*.
On peut mélanger les couleurs afin d'avoir d'autres teintes. Ils pourront servir aussi comme fonds de teint. (Voir page 85).
— 3 pinceaux en poils de martre « spécial maquillage » nos 0, 4 et 12.
— 2 crayons à maquillage : un noir et un blanc.
— Une boîte de poudre blanche.
— Une houppette.
— Une boîte de paillettes. Voir page 83.

* Aquacolor de Kryolan, par exemple.

MARCHE À SUIVRE

Nous conseillons aux animateurs d'arriver à faire ces maquillages simples en 1/4 d'heure pour ne pas épuiser la patience des modèles qui sont, la plupart du temps, des jeunes enfants.

Commencer par dégager les cheveux en les retenant par un bandeau, un ruban de couleur : les enfants adorent et cela participe au costume.

Puis dessiner les contours des motifs. Comme il n'y a pas de fond de teint, on peut rectifier les erreurs avec un peu de lait de toilette et un coton-tige.

Ne dessiner donc qu'une esquisse ou des points de repère pour gagner du temps. On termine les motifs en peignant.

Travailler en allant du haut (le front) vers le bas (le menton) pour ne pas brouiller le maquillage par maladresse.

Selon la patience des enfants, dessiner une fleur, un papillon, un oiseau, ou plusieurs motifs en composition. Ne pas appuyer fort avec le crayon pour pouvoir corriger le trait. Sur nos photos, nous avons travaillé avec un crayon foncé pour que le trait ressorte mieux. Mais nous vous conseillons de tracer ces formes au crayon blanc car on peut mieux effacer ou rectifier les erreurs.

Ensuite remplir les motifs. Commencer par les parties blanches et poudrer. Puis passer les fards de couleur.

Peindre le nez et les lèvres. Mettre des paillettes autour des yeux, sur le nez (paillettes rouges pour un nez de clown), autour de la bouche.

Retracer le contour des motifs au pinceau avec du noir ou un fard à l'eau de n'importe quelle couleur en harmonie avec le motif et le costume de l'enfant.

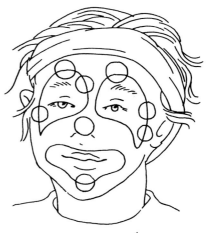

LE TRACÉ

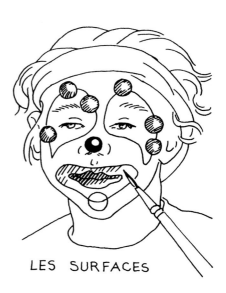

LES SURFACES

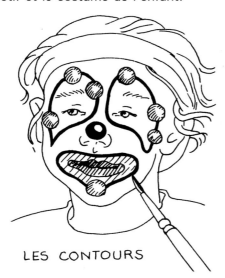

LES CONTOURS

MAQUILLAGE D'ANIMAUX

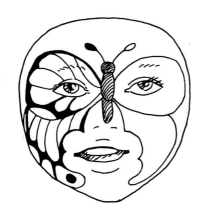

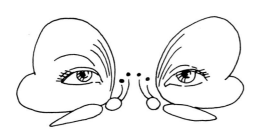

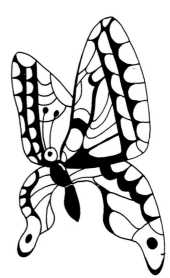

LES PAPILLONS

— Maquillage à l'eau : blanc, noir, marron (pour les ombres), et couleurs assorties au costume de l'enfant.
— Du fard sec rouge pour les pommettes.
— Un fard à pommettes.

Dessiner quelques repères au crayon noir en suivant les croquis.

Dégradé. On peint la couleur la plus claire d'abord, puis la plus foncée, en revenant vers la plus claire en estompant à la rencontre des deux teintes.

Le travail est un peu le même que pour le lapin (page 78). Faire des nervures en se donnant des repères pour avoir les deux côtés à peu près symétriques.

Parsemer de paillettes (voir page 83).

LA PETITE SOURIS

Photo page 80.

— Maquillage à l'eau : blanc, noir.
— Pinceaux : n°s 0, 4 et 12.

Dessiner les formes, peindre le blanc autour des yeux puis poudrer. Peindre les contours noirs au pinceau n° 0. Puis peindre le museau, tracer les dents et les moustaches au crayon noir.

LE PETIT LAPIN

Maquillage à l'eau : blanc, noir, marron (pour les ombres).
Du fard sec rose pour les pommettes.
Un pinceau à pommettes.

Peindre d'abord le blanc à grands traits pour imiter le poil, en suivant le relief du visage (pinceau n° 12).

Rendre le sens du poil à fins petits traits noirs (pinceau n° 0). Ne pas cerner les yeux en noirs pour qu'ils paraissent plus ronds.

Peindre le nez en noir (pinceau n° 4) et séparer les babines par un trait vertical noir. Peindre les babines en blanc, toujours avec un pinceau n° 4. L'ombre des babines est en rose (fard sec passé au pinceau à pommettes).

Faire l'intérieur des dents en blanc (pinceau n° 4) et les contours en noir (pinceau n° 0). Tracer les moustaches en noir.

Puis peindre quelques poils marrons à l'intérieur des oreilles.

Remplir la carotte en orange, la cerner d'un trait marron, et dessiner quelques fanes.

Remarque. Le travail est le même pour les autres animaux à poils. Les yeux sont soulignés ou non de noir, selon l'expression choisie. Ces maquillages ne se poudrent pas. Par contre les paillettes en poudre leur donnent du fini et les mettent en valeur.

Les bonnets à oreilles

Toutes nos coiffures d'animaux à oreilles sont faites de cette façon. Prendre un tissu extensible pour bien emboîter la tête de l'enfant. Mais il est possible aussi d'utiliser de la fourrure synthétique.

Coudre les 2 parties du bonnet et ourler tout autour. Glisser un ruban à la base, et un élastique autour du visage. Pour les bonnets de fourrure, coudre seulement un crochet pour la fermeture.

Couper 4 oreilles dans le tissu et 2 oreilles légèrement plus étroites dans de la toile à canevas. Coudre un biais autour des oreilles en canevas et y glisser un fil de fer. Coudre les oreilles de tissu deux par deux et glisser à l'intérieur l'oreille de canevas. Fermer la base. Coudre les oreilles sur le bonnet.

On peut éventuellement rembourrer les oreilles avec de la mousse comme pour la souris. Tout dépend du rendu souhaité (épaisseur, forme, etc.).

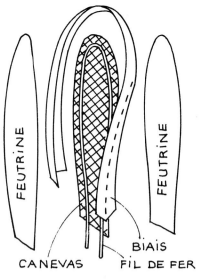

FEUTRINE

FEUTRINE

CANEVAS

BIAIS
FIL DE FER

MONTAGE D'UNE
OREILLE DE LAPIN

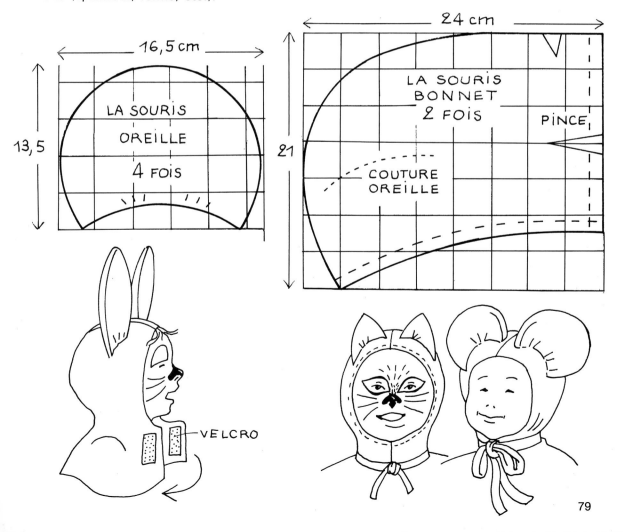

16,5 cm

13,5

LA SOURIS
OREILLE
4 FOIS

24 cm

LA SOURIS
BONNET
2 FOIS

PINCE

21

COUTURE
OREILLE

VELCRO

VISAGES-PERSONNAGES

Dessiner un personnage sur le visage fait un maquillage très spectaculaire, souvent poétique ou humoristique. Les meilleurs emplacements pour un dessin harmonieux sont les joues et le nez.

Préparer le dessin sur une feuille de papier, puis l'adapter au visage en le reportant au crayon blanc de maquillage. Puis le colorer. Passer les couleurs de la plus claire à la plus foncée (maquillage à l'eau, pinceau n° 3).

Rajouter les ombres avec des fards secs (pinceau n° 3). Ces ombres viennent en principe tout près des traits de contours. Repasser les contours en noir (maquillage à l'eau, pinceau n° 0).

Un des vêtements (cravate, veste, etc.) peut être recouvert de paillettes. Pour cela, passer une couche de maquillage de la couleur des paillettes, puis passer une couche de gel à cheveux. Enfin, poser les paillettes. Voir page 83.

Ces personnages s'animeront encore si on les fait parler avec une « bulle » à la manière des BD. Voir page 86.

LES PAILLETTES

Les enfants aiment les paillettes. Nous conseillons donc de mettre des paillettes sur la plupart des maquillages. Il en existe de toutes sortes : en poudre, en forme d'étoile, de cœur, en demi-lune. Il existe des strass « spécial maquillage » qui brillent comme des diamants.

Les paillettes ne doivent pas recouvrir le maquillage, mais s'y intégrer pour lui donner du relief.

On peut saupoudrer légèrement quelques parties du dessin : un vêtement, un accessoire.

On peut recouvrir une partie du visage : le nez, la bouche. Choisir pour cela des paillettes un peu plus grosses.

Les strass peuvent être utilisés au coin des yeux, sur le visage, ou sur les petits personnages : pour les yeux, les boutons, etc.

Il ne faut pas surcharger un maquillage de paillettes ou de strass, cela le rendrait trop lourd et il perdrait tout intérêt.

Les strass, les demi-lunes, les gouttes d'eau, sont collés à la colle à postiches.

Les paillettes lourdes sont collées au gel à cheveux.

Les paillettes fines (en poudre) sont saupoudrées sur le maquillage encore humide.

Nous n'avons pas mis de paillettes sur les maquillages de ce chapitre parce qu'à la lumière des flashes, les paillettes brillent et estompent les maquillages, et nos photos auraient été moins colorées.

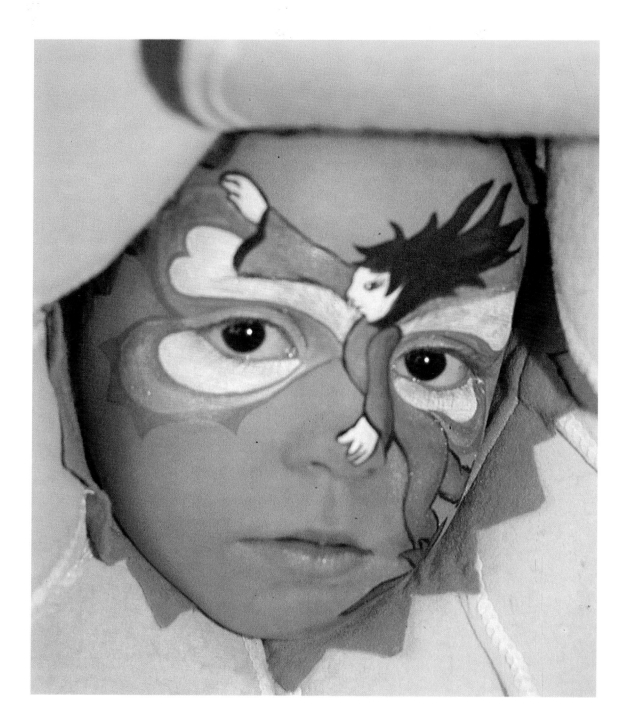

MAQUILLAGES SUR FOND DE TEINT

Ajoutez à votre matériel de base (page 74) :
— une éponge à fond de teint,
— du fond de teint blanc (gras),
— de la poudre incolore,
— une palette de fards secs (10 couleurs),
— une palette de fards gras (12 couleurs),
— un pinceau à pommettes (n° 16).

Les maquillages à l'eau utilisés dans les maquillages précédents servent aussi de fond de teint : les passer avec une éponge humide et les poudrer avec de la poudre incolore.

On peut essayer de cacher les sourcils en les couvrant de savon de Marseille en pommade, mais c'est très difficile (voir page 88). Il est plus simple de les intégrer au maquillage.

Travail du fond de teint gras

Passer le fond de teint à l'aide d'une éponge à maquillage. Ne pas salir les cils. Travailler les yeux directement avec ses doigts pour passer au ras des paupières. Ne pas oublier les commissures des lèvres, le dos des oreilles, le cou et les épaules si le costume est décolleté.

Poudrage

Ensuite poudrer avec de la poudre blanche. Puis laisser reposer, afin que la poudre pénètre le fond de teint.

Les pommettes

Elles sont faites au pinceau n° 16 « spécial pommettes », avec du fard sec.

Les motifs

Ils peuvent être colorés avec des fards gras, ou secs, ou à l'eau comme ici.

Dessiner le pourtour des yeux et du motif au maquillage à l'eau noir (pinceau n° 3). Les lèvres sont faites au maquillage à l'eau (pinceau à lèvres).

Maquillages bavards

N'essayez pas de peindre ces lettres, ce sont des lettres adhésives*. Sur les poudres de maquillage, il est préférable de les coller avec de la colle à postiches. Voir photo page 69.

---

* Pickup, lettres auto-adhésives.

TÊTE EN FLEUR

VELCRO

LA COIFFURE

Définir la forme des pétales puis couper dans le tissu (de la feutrine par exemple) le double du nombre de pétales nécessaires.

Pour chaque pétale. Préparer une armature de toile de canevas un peu plus étroite que la découpe en tissu, mais plus longue de 5 cm à la base. Border d'un biais et glisser un fil de fer dedans. Coudre ensemble 2 pétales de tissu et l'armature au milieu. Cacher la couture avec de la paillette au mètre.

La capuche. Couper 2 bandes de tissu de couleur contrastées de 16 × 60 cm, cranter une des longueurs. Glisser les pétales entre ces deux bandes, côté cranté, et coudre en prenant bien toutes les épaisseurs. Coudre le fond et placer un élastique à la base. Border le tour du bonnet avec un biais suffisamment long pour être noué. Coudre enfin du ruban agrippant style Velcro pour que la capuche soit bien serrée autour du visage.

NB. Ne pas hésiter à essayer souvent la coiffure au fur et à mesure de sa fabrication pour bien l'adapter au visage de l'enfant. Il est souvent nécessaire d'ajouter des pinces entre deux pétales. On peut cacher les cheveux de l'enfant par un bandeau de feutrine verte cranté comme sur notre photo.

LES MAQUILLAGES

Pour le maquillage de marguerite page 88, passer le fond de teint jaune (peinture à l'eau avec une éponge humide). Poudrer avec de la poudre d'or et passer un peu de fard sec orange.

Les sourcils ont été cachés avec du savon de Marseille humidifié et passé dans le sens des poils (pinceaux nos 0 et 3).

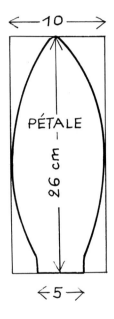

←— 10 —→

PÉTALE

26 cm

←5→

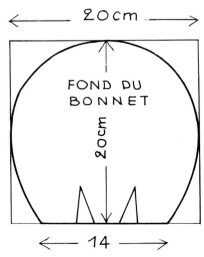

←———— 20 cm ————→

FOND DU BONNET

20 cm

←— 14 —→

COSTUMES

Une robe de poupée

Nous prenons un patron de robe d'enfant pour cérémonie, et nous le transformons au gré de notre fantaisie, en gardant toujours les épaules, les emmanchures et l'encolure du modèle. Nous ajoutons des volants, des dentelles, des jupons, des « sur-jupes » en forme de corolles de fleurs. Nous gonflons les manches et donnons beaucoup plus d'ampleur aux jupes (4 m au lieu de 1,50 m : cela fait des robes très amples).

Les culottes de dentelles sont faites d'après un patron de pyjama (pour l'entrejambes) auquel on ajoute un peu plus d'ampleur et des volants de dentelle.

Une crinoline

Nous faisons un jupon large (2,50 m de circonférence à la base). Trois fois dans la hauteur, nous faisons un pli horizontal, ou nous appliquons du biais pour enfiler de la baleine : à la base une baleine de 2,50 m, au milieu une baleine de 2 m, et, à 10 ou 15 cm de l'élastique de la taille, une baleine de 1,50 m*.

———

Voir aussi *Costumes du temps jadis*, aux Editions Fleurus, Collection Mille-pattes.

PERRUQUE DE LAINE

Ce sont de petits bonnets au crochet dans lesquels on passe des fils de grosse laine. Suivre un modèle simple de bonnet d'enfant, sans aucun gonflant. Crocheter en brides de la laine de grosseur moyenne (crochet n° 3). Passer un élastique tout autour du bonnet pour qu'il s'adapte parfaitement à la tête de l'enfant.

Puis nouer des brins de laine dans les brides. Pour cela couper des brins de grosse laine mèche et les plier en deux. Glisser le crochet dans une bride, tirer la boucle formée par le brin plié en deux. Puis avec le crochet, faire passer les extrémités du brin dans la boucle et tirer pour faire un nœud serré.

Pour *la perruque longue* de la page 89, passer des brins de 80 cm, sur un rang, à 1 cm du bord du bonnet et de part et d'autre d'une raie bien droite de la nuque au front. Passer ensuite, sur 2 ou 3 rangs, des brins de 30 cm tout autour du bonnet. Coiffer les brins longs en couettes.

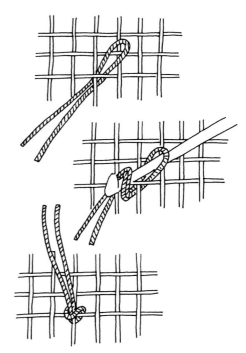

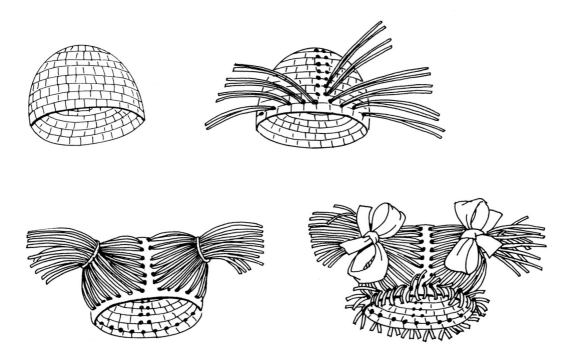

GOÛTERS SYMPAS ET JEUX RIGOLOS

Le vrai repas des enfants, celui qu'ils ne refusent jamais, c'est le goûter! Car le goûter c'est la fête! En famille ou avec tous les amis. Très joliment illustrés par Claire Lhermey, voici des goûters de tous les jours, des pique-niques, des goûters d'anniversaire... où recettes et tartines se mêlent joyeusement aux jeux et aux petits cadeaux.

POUR DE BONS GOÛTERS

Le goûter, c'est le repas des enfants. C'est pourquoi ce chapitre est vraiment pour les enfants, même si les grandes personnes donnent parfois un coup de main, même si elles chipent quelques recettes et participent à quelques jeux.

Les « goûters sympas et jeux rigolos » donnent des idées pour toutes les occasions, depuis les goûters de tous les jours jusqu'aux goûters les plus chics... pour que le goûter soit toujours une fête.

Dans ce chapitre, toutes les recettes sont sans cuisson.

L'aide d'une grande personne n'est requise que pour quelques rares exceptions.

Les recettes de gâteaux sont prévues pour 6 personnes. Les autres recettes sont prévues pour une personne sauf mention contraire.

GOÛTERS
DE TOUS LES JOURS

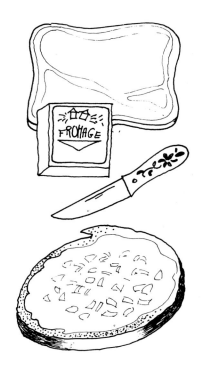

Pour tous les enfants, et certaines grandes personnes, un goûter, c'est important tous les jours. Un goûter c'est réconfortant juste après l'école, ça donne des forces pour attaquer les devoirs et surtout cela permet d'attendre l'heure du dîner. Les goûters de tous les jours doivent être bons, bien sûr, mais ils doivent aussi être assez vite faits.

Dans ce chapitre on trouvera surtout des tartines, toutes sortes de tartines sucrées ou salées, des pains et des biscuits fourrés.

TARTINES SALÉES

Tartine à la crème de jambon

Hacher finement le quart d'une tranche de jambon, mélanger avec le quart d'un petit fromage demi-sel ; étaler sur une tranche de pain de seigle.

Tartine au beurre de parmesan

Pour préparer cette tartine à l'italienne, mélanger deux cuillerées à café de beurre mou avec deux cuillerées à café de parmesan râpé ; étaler ce mélange sur du pain blanc.

Tartine à la mousse de pâté

Mélanger une cuillerée à café de beurre mou, deux cuillerées à café de pâté de foie et une pointe de moutarde. Tartiner ce mélange sur du pain de campagne. Cette tartine est dessinée page 97.

Tartine aux deux épices

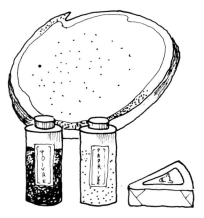

Tartiner une tranche de pain complet avec une portion de fromage fondu pour tartines ; saupoudrer par-dessus un petit peu de poivre et du paprika. On peut mettre cette tartine au four pendant 5 minutes, c'est encore meilleur. Cette tartine est aussi dessinée page 97.

TARTINES SUCRÉES

Tartine au beurre de miel

Mélanger une cuillerée à café de miel avec deux cuillerées à café de beurre mou. Tartiner ce mélange sur un morceau de baguette ouvert en deux.

Tartine au beurre de chocolat

Râper la valeur de deux carrés de chocolat noir. Mélanger avec deux cuillerées à café de beurre mou. Tartiner sur du pain viennois.

On peut remplacer le chocolat à croquer par deux cuillerées à café de chocolat en poudre.

Tartine au beurre de marrons

Mélanger une cuillerée à café de crème de marrons avec deux cuillerées à café de beurre mou. Tartiner sur du pain viennois. Cette tartine est dessinée page 97.

Tartine au beurre d'amandes

Hacher trois amandes, mélanger avec deux cuillerées à café de beurre mou. Tartiner sur du pain brioché. Cette tartine est dessinée page 97. On peut remplacer les amandes par 2 noix ou 4 noisettes.

Tartine à la « confiturhuète »

Tartiner une tranche de pain de mie avec du beurre de cacahuètes et, par-dessus, de la gelée de groseilles ou de la confiture de fraises.

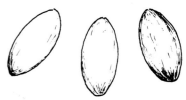

Tartine aux deux confitures

Beurrer une tartine de pain blanc. Etaler par-dessus une cuillerée à café de confiture d'abricots puis une cuillerée à café de confiture de fraises. Cette tartine est dessinée page 97.

On peut essayer d'autres mélanges, par exemple gelée de mûres et gelée de groseilles, confiture de poires et confitures de myrtilles, marmelade d'oranges et gelée de groseilles, etc.

Tartine à la mousse de pâté

Tartine aux deux épices

Tartine au beurre d'amandes

Tartine aux deux confitures

Tartine au beurre de marrons

Pain fourré mimosa - Pain fourré chocolatier

PAINS FOURRÉS

Pain fourré fromagé

Ouvrir un quart de baguette en deux. Tartiner l'intérieur avec du beurre. Ajouter quelques lamelles de gruyère, deux noix épluchées et coupées en morceaux, et une belle feuille d'endive bien lavée. Refermer le pain fourré.

Pain fourré charcutier

Ouvrir un quart de baguette viennoise. Tartiner l'intérieur avec du beurre. Couper en petits cubes le quart d'une tranche de jambon épaisse et une grosse tranche de saucisson (sec ou à l'ail). Couper un cornichon en rondelles. Fourrer le pain avec le jambon, le saucisson et le cornichon puis refermer le pain.

Pain fourré hawaïen

Ouvrir un pain au lait en deux. Tartiner l'intérieur avec de la mayonnaise. Fourrer le pain avec le quart d'une tranche de jambon épaisse coupée en cubes et quelques morceaux d'ananas. Refermer le pain.

Pain fourré mimosa

Ouvrir un quart de baguette viennoise en deux. Tartiner l'intérieur avec de la mayonnaise. Fourrer le pain avec une belle feuille de laitue bien lavée et un œuf dur coupé en rondelles. Refermer le pain.

Pain fourré « choc'amandes »

Ouvrir un morceau de baguette viennoise en deux. Mélanger trois cuillerées à café de beurre mou avec deux cuillerées à café de poudre d'amandes. Tartiner ce mélange à l'intérieur du pain, puis ajouter une barre de chocolat de lait. Refermer le pain.

Pain fourré chocolatier

Mélanger trois cuillerées à café de beurre mou avec deux cuillerées à café de chocolat en poudre. Ouvrir un pain au lait en deux, tartiner le beurre de chocolat à l'intérieur, puis ajouter quelques noisettes et quelques raisins secs. Refermer le pain.

GOÛTERS DU MERCREDI

Le mercredi tout est permis ! Le mercredi c'est fait pour s'amuser, même quand on goûte. Par exemple, au lieu de faire des tartines délicieuses, mais toutes simples, on peut les faire rigolotes ou ravissantes.

Et puis, si on est plusieurs, c'est encore mieux : chacun peut essayer sa recette, et ensuite, on compare.

TARTINES-BONSHOMMES

Monsieur Salé

Etaler de la mayonnaise sur une tranche de pain de mie. Découper le petit bout d'un radis et le poser juste au milieu de la tartine pour faire le nez du bonhomme. Découper deux grosses rondelles de radis pour faire le blanc des yeux et poser par-dessus une câpre pour la pupille. Laver et couper quelques brins de persil frisé et le disposer en haut de la tartine en guise de cheveux. La bouche est une demi-rondelle de tomate.

Madame Tout-Sucre

Beurrer une tartine de pain brioché. Mettre une noisette juste au milieu de la tartine pour faire le nez. Poser deux amandes pour faire les yeux et un petit raisin sec par-dessus pour les pupilles. Les cheveux sont des raisins secs serrés les uns contre les autres en haut de la tartine. La bouche est découpée dans un fruit confit rouge.

TARTINES-ANIMAUX

Pigui-porcelet

Etaler de la mayonnaise sur une tranche de pain de mie. Poser par-dessus une rondelle de mortadelle pour faire la tête, deux bouts de jambon coupés en pointe pour les oreilles, une tranche de saucisson surmontée de deux câpres pour le nez, et deux rondelles de cornichon pour les yeux.

Ourson-saucisson

Etaler de la mayonnaise sur une tranche de pain de mie. Poser par-dessus une rondelle de mortadelle pour faire la tête. Pour le museau, superposer une petite tranche de saucisson sur une plus grande, avec une olive noire par-dessus. Glisser deux petites tranches de saucisson sous la mortadelle pour faire les oreilles. Les yeux sont deux moitiés d'olives noires.

TARTINES FLEURIES SALÉES

Tartine fleurie potagère 1

Tartiner une tranche de pain complet avec du fromage demi-sel. Poser par-dessus une rondelle de carotte fine, juste au milieu pour faire le cœur. Eplucher et laver 4 petits radis et les couper dans le sens de la longueur. Disposer les moitiés de radis tout autour du cœur pour faire les pétales.

Tartine fleurie potagère 2

Sur une tranche de pain de mie, étaler de la sauce tartare ou de la mayonnaise toutes prêtes. Couper un bout de petite tomate (tomate olivette par exemple) et le poser au milieu de la tartine pour faire le cœur. Laver quelques petites feuilles d'endive (les recouper si nécessaire), puis les disposer tout autour du cœur de tomate pour faire les pétales.

Tartine fleurie charcutière

Beurrer une tranche de pain de seigle carrée. Poser une rondelle de saucisson juste au milieu de la tartine. Couper le quart d'une tranche de jambon en fines lanières ; les disposer tout autour de la tranche de saucisson. Couper un cornichon en lamelles et les disposer dans les coins de la tartine pour faire les feuilles.

Tartine fleurie fromagère

Beurrer une tranche de pain de campagne. Couper gros comme une noix de mimolette (fromage orangé) en tout petits morceaux. Rassembler ces morceaux juste au milieu de la tartine pour faire le cœur. Couper un peu de gruyère en lamelles et les disposer tout autour du cœur pour faire les pétales.

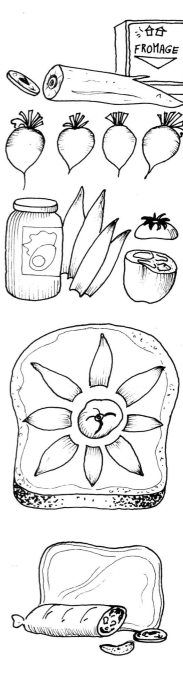

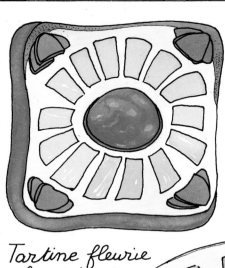

Tartine fleurie
charcutière

Tartine fleurie
potagère

Tartine fleurie fromagère

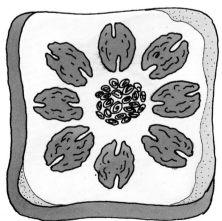

Tartine fleurie
à la noix

Tartine fleurie
aux fruits

TARTINES FLEURIES SUCRÉES

Tartine fleurie dattière

Mélanger deux cuillerées à café de beurre mou avec une cuillerée à café de miel. Tartiner ce mélange sur une tranche de pain brioché. Poser un abricot sec juste au milieu de la tartine pour faire le cœur de la fleur. Oter les noyaux de 4 dattes et les couper en deux dans le sens de la longueur. Disposer ces 8 moitiés de dattes tout autour de l'abricot comme des pétales.

Tartine fleurie à la noix

Mélanger deux cuillerées à café de beurre mou avec une cuillerée à café de sucre vanillé. Etaler ce mélange sur une tranche de pain complet. Bien au centre, disposer plusieurs raisins secs pour faire le cœur de la fleur. Casser et ôter les coquilles de 4 noix, séparer les cerneaux en deux et les disposer en rond autour du cœur pour faire les pétales.

On peut inventer d'autres tartines fleuries sucrées avec des fruits confits ou même des fruits frais (demi-fraises, rondelles de bananes, etc.).

TARTELETTES

On trouve dans le commerce des fonds de tartelettes tout faits, très pratiques. Il suffit de les remplir de bonnes choses et les tartelettes sont prêtes…

Tartelette ''œuf au plat''

Dans un bol, battre énergiquement un petit-suisse avec deux cuillerées à café de confiture d'abricots. Remplir un fond de tartelette avec ce mélange.

Poser juste au milieu une moitié d'abricot frais ou au sirop. On dirait un œuf au plat mais ça n'a pas le même goût !

FABRICATION D'UN NAPPERON

Pour disposer les tartines, on peut découper de jolis napperons : prendre un carré de papier de 12 cm de côté. Le plier en deux en diagonale, puis encore en deux, puis encore en deux. Découper des entailles sur les côtés, puis déplier. Poser le napperon sur l'assiette et la tartine par-dessus.

Pour un effet encore plus décoratif, on peut faire un deuxième napperon un peu plus petit, ou un peu plus grand, d'une couleur plus claire ou plus foncée. On pose le petit napperon sur le plus grand.

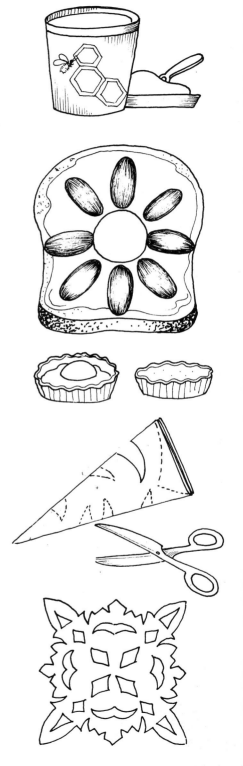

GOÛTERS DE TOUTES LES COULEURS

Des goûters tout en couleurs, c'est plus gai quand le ciel
est gris. Une couleur pour chaque goûter, c'est amusant
à rechercher. Si on est plusieurs, chacun peut choisir sa
couleur, ou alors on se met tous ensemble pour trouver
tous les ingrédients d'une même couleur.

GOÛTER ORANGÉ

Tartine dorée

Beurrer une tranche de pain de mie. Découper des lamelles de mimolette (fromage orangé) et les poser en diagonale sur la tartine. Couper la tartine en biais dans le sens
opposé. Découper deux belles rondelles de carotte et les
poser sur chaque moitié de tartine.

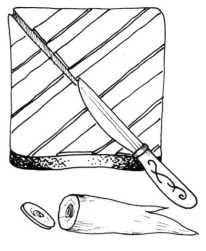

Salade de fruits orangée (pour 3 ou 4 personnes)

Composer une salade de fruits avec des quartiers d'oranges, des abricots au sirop, quelques morceaux de melon
et du sirop d'orange.

Boisson orangée

Verser dans un grand verre une cuillerée à soupe de sirop
d'orange et le jus d'une orange. Compléter avec de la
limonade.

GOÛTER BLANC

Tartine blanchette

Etaler le quart d'un fromage demi-sel sur une tranche de
pain de mie. Bien laver 3 feuilles d'endives et les poser en
diagonale sur la tartine. Couper la tartine en biais dans le
sens opposé. Eplucher et laver un radis ; le couper en rondelles et les disposer autour des feuilles d'endives.

Délice des neiges

Dans un bol, battre énergiquement deux petits-suisses, un
sachet de sucre vanillé et une cuillerée à soupe de noix
de coco râpée. Ajouter ou non du sucre selon son goût.
Mettre dans une coupe et servir avec une meringue blanche achetée chez le pâtissier.

Boisson blanche

Servir un verre de lait nature, ou une boisson à l'orgeat :
verser deux cuillerées à soupe de sirop d'orgeat dans un
grand verre et compléter avec de l'eau.

Ces goûters colorés sont dessinés page 105.

GOÛTER VERT

Tartine verdure

Etaler de la mayonnaise sur une tranche de pain de mie. Laver et hacher finement quelques brins de persil et de ciboulette ; recouvrir la mayonnaise avec ces herbes. Couper la tartine en quatre. Couper 4 rondelles d'un concombre bien lavé et poser chacune sur un quart de tartine.

Salade de fruits verte (pour 3 ou 4 personnes)

Composer une salade de fruits avec : une pomme verte en petits morceaux, une grappe de raisin vert, quelques tranches de kiwi, du jus de citron vert, du sucre et 2 ou 3 feuilles de menthe. Décorer de quelques morceaux d'angélique confite.

Boisson verte

Dans un grand verre, verser le jus d'un demi-citron, et deux cuillerées à soupe de sirop de menthe. Compléter avec de la limonade.

GOÛTER ROSE

Tartine rosette

Beurrer une tranche de pain de mie. Couper une tranche de jambon de même taille que la tartine et la poser par-dessus. Couper la tartine en quatre. Eplucher et laver deux radis, les couper en deux et poser une moitié de radis sur chaque quart de tartine.

Délice rose

Dans un bol, battre énergiquement deux petits-suisses et trois cuillerées à café de gelée de groseilles. Verser dans une coupe et décorer avec des framboises, des fraises des bois et des cerises au sirop. Servir avec des biscuits de Reims roses.

Boisson rose

Verser dans un grand verre deux cuillerées à soupe de sirop de grenadine et le jus d'un demi-pamplemousse rose. Compléter avec de la limonade.

Le décor peut être assorti. Par exemple pour présenter les tartines roses, vertes, blanches ou orangées, on peut facilement et rapidement découper de jolis napperons de papier de la même couleur.

Goûter orangé

Goûter blanc

Goûter vert

Goûter rose

GOÛTERS PIQUE-NIQUES

Quand on part en promenade ou en randonnée tout l'après-midi, il faut emporter son goûter. On peut tout simplement prendre du pain et du chocolat, mais on peut aussi préparer de véritables recettes de pique-nique.

D'ailleurs rien n'interdit d'utiliser aussi ces recettes pour un déjeuner dehors si on part toute la journée. Il suffit de préparer plusieurs recettes pour composer un vrai repas.

On trouvera naturellement dans ce chapitre toutes sortes de sandwichs, mais aussi des brochettes délicieuses et sans cuisson, quelques petits plats rafraîchissants pour les jours de grande chaleur et toutes sortes d'astuces pour bien réussir son pique-nique.

SANDWICHS

Sandwich du géant

Ce sandwich est prévu pour 4 à 6 personnes. Ouvrir une baguette viennoise en deux sans séparer les deux moitiés. Tartiner l'intérieur avec de la mayonnaise. Poser sur la moitié du bas : des feuilles de laitue bien lavées, des lamelles de gruyère, des tranches fines de pommes lavées et épluchées, et quelques noix épluchées et hachées. Refermer la baguette ; l'enrouler dans un torchon propre en attendant l'heure du goûter. Au moment de servir, couper en tronçons pour chaque convive.

Miam-burger

Ouvrir un pain rond à hamburger. Tartiner l'intérieur de mayonnaise. Poser sur la moitié du dessous : une belle feuille de laitue bien lavée, une tranche de mortadelle, une tranche très fine d'oignon (si on aime), une rondelle de tomate et trois rondelles de cornichons. Refermer le pain puis envelopper le tout dans du papier d'aluminium jusqu'au moment de servir.

Pan bagnat

Le pan bagnat est un sandwich typiquement provençal, délicieux par temps chaud.

Ouvrir un petit pain rond en deux. Oter un peu de mie dans la moitié du dessous. Mouiller l'intérieur du pain avec un peu d'huile d'olive. Garnir la moitié creusée avec : de la salade bien lavée, quelques morceaux de tomates, d'œuf dur, de thon et quelques olives noires dénoyautées. On peut encore ajouter une fine rondelle d'oignon, un ou deux filets d'anchois et quelques câpres.

Refermer le pain et l'envelopper dans du papier d'aluminium jusqu'au goûter.

Sandwich au thon

Dans un bol, mélanger le contenu d'une petite boîte de miettes de thon, une cuillerée à soupe de mayonnaise, un cornichon haché et quelques brins de persil lavé et haché. Tartiner 1/3 de ce mélange sur une tranche de pain de seigle carrée. Recouvrir d'une autre tranche de pain de seigle enduite de mayonnaise.

Club sandwich

Voici un sandwich à étages très apprécié aux Etats-Unis. On le fait avec du pain de mie carré et toutes sortes de bonnes choses différentes. Voici un exemple à deux étages seulement.

Etaler de la mayonnaise sur une tranche de pain de mie, poser par-dessus une feuille de laitue bien lavée. Couper un restant de poulet froid en petits morceaux et les poser sur la laitue. Ajouter quelques rondelles de cornichons.

Etaler de la mayonnaise sur une autre tranche de pain, des deux côtés, la poser par-dessus la première. Sur cette deuxième tranche, poser une fine tranche de gruyère et une rondelle de tomate. Recouvrir avec une tranche de pain enduite de mayonnaise au-dessous.

Piquer deux cure-dents dans le sandwich et le couper en deux. L'envelopper de papier d'aluminium s'il faut le transporter.

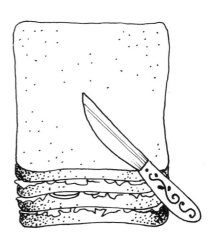

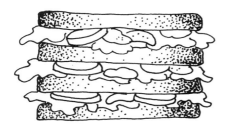

BROCHETTES

Ces petites brochettes ne se font pas cuire, elles sont faciles à grignoter n'importe où, et en plus elles sont jolies comme tout !

On utilise des brochettes en bois du commerce, ou on taille en pointe des petites brindilles de bois. Ensuite on enfile sur chaque brochette des petits morceaux différents, salés ou sucrés selon le goût.

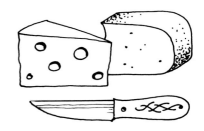

Brochette aux deux fromages (salée)

Couper en cubes la moitié d'une tranche de pain de seigle, un petit morceau de mimolette et un petit morceau de gruyère. Enfiler les cubes sur une brochette en les alternant.

Brochette rose et verte (salée)

Couper le quart d'une tranche de jambon épaisse en petits cubes. Enfiler sur une brochette, en les alternant, des olives dénoyautées et des cubes de jambon. On peut remplacer les olives par des rondelles de cornichons.

Brochette aux saucissons (salée)

Couper quelques cubes de saucisson sec et quelques cubes de saucisson à l'ail. Couper aussi la moitié d'une tranche de pain de seigle en cubes, et un cornichon en rondelles. Enfiler tous les cubes en les alternant sur une brochette.

Brochette pain d'épice (sucrée)

Couper en cubes une tranche de pain d'épice. Les enfiler sur une brochette en les alternant avec des fruits secs, dattes, abricots secs, etc.

Brochette juteuse (sucrée)

Enfiler sur une brochette, en les alternant, des fraises et des framboises ou des mûres bien lavées.

Brochettes minuscules

En prenant des cure-dents comme brochettes, on obtient de toutes petites brochettes amusantes. On y enfilera au choix : des raisins secs de couleur différente, des petits morceaux de fruits confits, de gâteau ou de fruits secs.

On enveloppe toutes les brochettes dans du papier d'aluminium s'il faut les transporter.

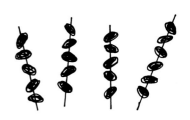

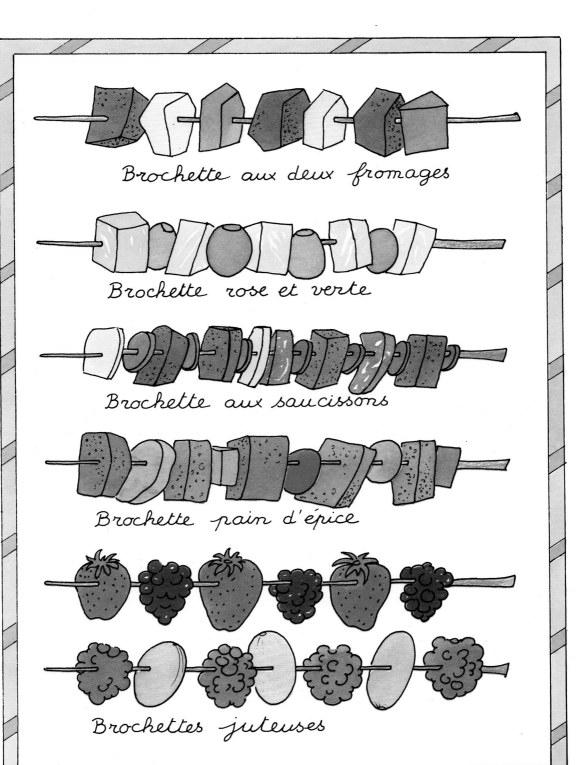

Brochette aux deux fromages

Brochette rose et verte

Brochette aux saucissons

Brochette pain d'épice

Brochettes juteuses

BOISSONS POUR LE PIQUE-NIQUE

Ces boissons sont prévues pour 4 à 6 personnes.

Sangria des enfants

Mettre dans un grand bocal bien propre : une demi-banane coupée en rondelles, une demi-pomme épluchée et coupée en morceaux, une demi-orange épluchée et coupée en morceaux et quelques petites fraises lavées et équeutées. Ajouter une cuillerée à soupe de sucre en poudre et le jus d'un demi-citron.

Recouvrir le tout de jus de raisin rouge, refermer le bocal et laisser macérer 3 heures.

Servir avec une louche pour mettre dans chaque gobelet deux ou trois morceaux de fruits et un peu de jus.

On peut, si on veut, compléter avec de la limonade ou boire tel quel.

Thé glacé du soleil

Placer dans un grand bocal bien propre, deux sachets de thé. Ajouter 4 rondelles de citron non traité et trois cuillerées à soupe de sucre en poudre. Recouvrir d'eau froide jusqu'en haut du bocal.

Laisser macérer en plein soleil pendant 3 heures.

Au moment de servir placer un ou deux glaçons dans chaque gobelet et verser le thé par-dessus.

Glaçons frais

On peut conserver des glaçons quelque temps si on veut les emporter en pique-nique.

Bien nettoyer une boîte à œufs en plastique, remplir les alvéoles d'eau et mettre à glacer au congélateur ou tout en haut du réfrigérateur.

Au moment de partir en pique-nique, envelopper la boîte d'une feuille de papier d'aluminium puis de quelques épaisseurs d'essuie-tout, puis à nouveau d'une feuille d'aluminium.

Suivant la température ambiante, les glaçons se conservent une à trois heures.

Granité

Mettre plusieurs glaçons dans un torchon propre et les écraser avec une pierre. Mettre cette glace pilée dans un gobelet et verser par-dessus une rasade de sirop au choix. Boire avec une paille.

FABRICATION D'UNE GOURDE D'INDIEN

Voici une petite gourde légère, à faire soi-même, idéale pour les randonnées.

Se procurer une petite bouteille d'eau en plastique, et deux petites peaux de chamois.

Recouvrir la bouteille de plusieurs couches de papier d'aluminium.

Couper le haut des peaux de chamois comme sur le dessin, l'une tout droit, l'autre avec un rabat.

Poser ces deux peaux l'une sur l'autre comme sur le dessin. Epingler puis dessiner à la craie un rectangle de 20 cm de haut et de 12 cm de large. Coudre, bien serré sur ces traits, les deux épaisseurs de peaux de chamois.

Couper les bords comme des franges.

Faire deux trous sur les côtés pour y passer une cordelière.

Enfiler la bouteille dans la gourde. Faire un trou dans le rabat pour y passer le goulot de la bouteille.

On peut décorer la peau de chamois avec de la peinture ou des feutres pour tissu.

PETITES ASTUCES POUR RÉUSSIR UN GOÛTER PIQUE-NIQUE

Il ne faut jamais oublier d'emporter une bouteille d'eau à un pique-nique : rien n'étanche mieux les grandes soifs, et c'est toujours utile pour nettoyer les mains poisseuses ou une égratignure.

C'est une bonne idée d'emporter aussi des serviettes en papier ou un rouleau d'essuie-tout.

Il ne faut pas laisser les aliments ni les boissons au soleil : chercher un coin ombragé en pensant que le soleil tourne !

S'il y beaucoup de mouches, on peut fabriquer un garde-manger de fortune en un tournemain. Il suffit d'attacher un cercle de tulle de 60 cm de diamètre sur un piquet, de planter le piquet dans le sol et de maintenir les bords du tulle sur le sol avec des cailloux.

Enfin, lorsqu'on pique-nique dans la nature, il y a une règle absolue : ne rien laisser traîner derrière soi, surtout pas de bouteilles ou de sacs en plastique. On peut à la rigueur abandonner un petit bout de fruit pour les fourmis, mais c'est tout !

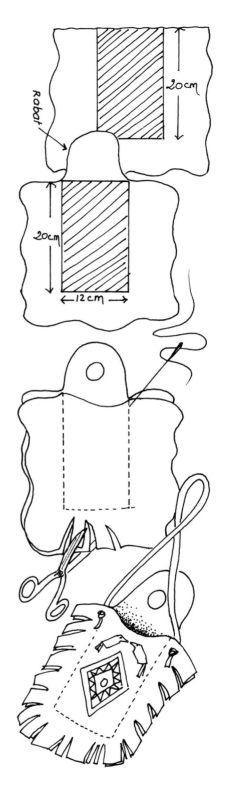

GOÛTERS D'ANNIVERSAIRE

JEU DE LOTERIE

Pour jouer avec ses amis, avant ou après le goûter, c'est amusant d'organiser une loterie. On n'y gagne pas d'argent mais des bonbons et des biscuits.

Il faut préparer à l'avance un plateau et un toton.

Le plateau

Prendre une feuille de carton contre-collé (ou du papier à dessin épais) format « raisin » (50 × 65 cm). Diviser ce panneau en 6 cases égales et dessiner un fruit différent dans chaque case comme sur le dessin ci-contre. On peut recouvrir le plateau de plastique adhésif transparent si on veut s'en servir longtemps.

Le toton

Reproduire le plan du toton sur du papier à dessin ; dans les cases, dessiner les mêmes fruits que sur le plateau. Découper le contour du toton. Couper une rondelle de bouchon de 5 millimètres d'épaisseur et la coller dessous, juste au milieu. Tailler une allumette en pointe et l'enfiler au centre du toton en traversant la rondelle de bouchon. Le toton est prêt.

Il faut l'essayer en l'élançant avec deux doigts. Si le toton tourne droit, c'est bien ; sinon il faut régler la hauteur de la rondelle de bouchon qui sert de lest.

Règle du jeu

Il faut un meneur de jeu et plusieurs joueurs. On pose le plateau sur une table et on s'installe autour.

Au départ, le meneur de jeu distribue 10 bonbons à chacun.

Chaque joueur pose sa « mise », un bonbon, sur un des fruits dessinés sur le plateau.

Le meneur de jeu fait tourner le toton en annonçant : « Rien ne va plus ». Le toton s'arrête sur un côté et fait gagner le fruit qui y est dessiné.

Le joueur qui a placé sa mise sur ce dessin remporte tous les bonbons qui sont sur le plateau. Si plusieurs joueurs sont gagnants, ils partagent les bonbons.

Si personne n'a misé sur le fruit gagnant, c'est le meneur de jeu qui remporte tout.

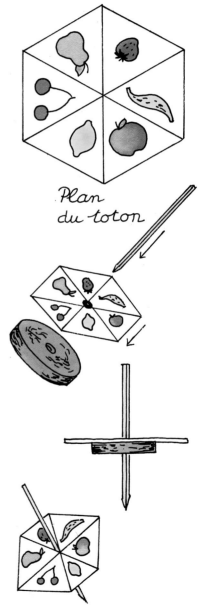

Plan du toton

LA MAISON D'ANNIVERSAIRE

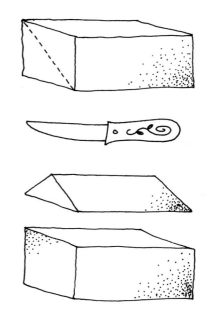

Dans cette maison-là, tout se mange sauf les bougies !

Pour la réaliser, il faut se procurer : deux quatre-quarts (achetés ou faits à la maison, la recette est très facile et se trouve dans tous les livres de cuisine), un assortiment de biscuits, dont des langues de chat pour faire les tuiles du toit, du sucre glace et un blanc d'œuf pour le glaçage.

Et pour le décor : de la noix de coco râpée, des bonbons, des fruits secs ou confits, etc.

Commencer par faire le glaçage qui servira de « colle » dans la fabrication de la maison. Mettre un blanc d'œuf dans un bol et ajouter petit à petit un ou deux verres de sucre glace en malaxant bien le mélange. Le glaçage doit être aussi dur que possible, et ne doit pas se « casser ». Il durcira complètement en séchant.

Poser l'un des quatre-quarts sur un plateau.

Couper l'autre en deux en oblique pour faire le toit. Le coller, avec le glaçage, sur la maison.

Sur la façade, coller des biscuits carrés pour faire les fenêtres, un biscuit rectangulaire pour la porte.

Enduire le dessus du toit de glaçage, puis coller les langues de chat par-dessus comme des tuiles, en commençant par le bas.

Enfoncer une rangée de petites bougies dans le gâteau, juste au-dessus du toit.

Pour le décor, étaler de la noix de coco râpée sur le plateau, puis disposer des murets en morceaux de sucre, des cailloux en amandes, noisettes, dragées, etc.

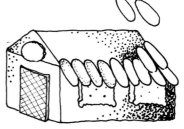

Pour faire des massifs fleuris, étaler une bonne couche de glaçage sur un biscuit et y planter des morceaux d'angélique confite pour faire les feuilles, et des morceaux de cerises confites pour faire les fleurs.

La maison est dessinée page 116.

CHÂTEAU D'ANNIVERSAIRE

Ce château peut se faire au chocolat ou au café, comme on veut.

Préparer un paquet de petits-beurre et un paquet de biscuits ronds.

Il faut aussi, pour le gâteau au chocolat : un bol de chocolat à l'eau (1 cuillerée à soupe de chocolat en poudre dans un verre d'eau chaude) et une crème au chocolat.

Pour le gâteau au café : un bol de café/chicorée à l'eau, et une crème au café faite comme suit.

Crème au café. Couper en morceaux une plaquette de beurre de 125 g et mettre le récipient sur un radiateur pour ramollir le beurre (il ne doit pas fondre). Ajouter 4 cuillerées à soupe de sucre en poudre et 2 cuillerées à soupe de café/chicorée instantanée. Bien malaxer.

Tartiner 4 petits-beurre avec un peu de crème, les plonger rapidement dans le bol de liquide et les disposer les uns à côté des autres sur un plat (voir le plan du château).

Tartiner 4 biscuits ronds avec un peu de crème, les tremper rapidement dans le liquide et les placer aux 4 coins du château (voir le plan).

Continuer en ajoutant une nouvelle couche de biscuits rectangulaires tartinés puis trempés, et une nouvelle couche de biscuits ronds tartinés puis trempés. Continuer ainsi jusqu'à ce que tous les biscuits soient utilisés.

On peut faire des châteaux beaucoup plus grands en multipliant les proportions. Celui-ci est pour 6 personnes. Il est dessiné page 117.

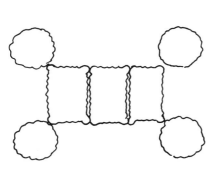

Plan du château

Maison d'anniversaire

Cartes d'invitation

Mercredi
1er Avril
Venez
nombreux
à mon
anniversaire
!!!

Château d'anniversaire

Mini-cadeaux

BOUGIES D'ANNIVERSAIRE

Il n'y a pas de gâteau d'anniversaire sans bougies. On peut les acheter partout avec leurs petites piques bien pratiques pour les planter dans le gâteau.

On peut aussi en acheter des farceuses : elles se rallument toutes seules quand on a soufflé dessus !

Il ne faut pas oublier d'éteindre la lumière ou de fermer le rideau quand on apporte le gâteau illuminé.

Lorsqu'on fête l'anniversaire de quelqu'un qui a beaucoup d'années, son grand-père par exemple, on met une grande bougie par dizaine d'années et des petites pour les unités.

Si on utilise les grandes bougies blanches ordinaires, on peut les décorer en enroulant tout autour un ruban de papier en serpentin, que l'on colle avec de la bougie fondue.

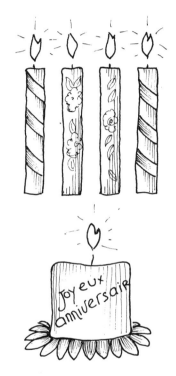

On peut aussi, c'est plus raffiné, coller des petites fleurs séchées avec de la bougie fondue.

C'est joli aussi de ne mettre qu'une seule grosse bougie sur le gâteau. Alors on écrit « joyeux anniversaire » sur la bougie avec du vernis à ongles coloré.

Pour éviter que la cire des bougies se répande sur le gâteau, placer entre chaque pique-bougie et le gâteau une petite caissette à bonbons en papier plissé.

Si on n'a pas de pique-bougie, il suffit de fabriquer une petite corolle avec une queue en papier d'aluminium autour de la base de chaque bougie, puis d'enfoncer la petite queue dans le gâteau.

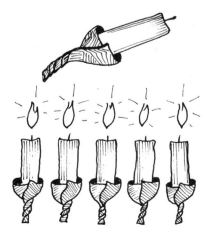

Si après le goûter on trouve des taches de bougies sur la jolie nappe, il suffit de poser une serviette en papier sur la tache et de demander à une grande personne de donner un coup de fer à repasser par-dessus : la tache disparaîtra.

CARTES D'INVITATION

Quand on invite ses amis à son anniversaire, on peut le faire par téléphone, mais c'est beaucoup plus chic de leur envoyer une carte d'invitation. Celles que nous suggérons sont dessinées page 116.

Cartes napperon

Les napperons de pâtissier en dentelle de papier font de ravissantes cartes d'invitation, on écrit au milieu et voilà !

Carte cœur

Plier une feuille de papier en deux, découper un demi-cœur comme sur le croquis de la page 116. Mettre une noisette de gouache à l'intérieur, refermer en appuyant bien puis ouvrir à nouveau ; on obtient une peinture symétrique. Ecrire le texte d'invitation.

MINI-CADEAUX

Voici de tout petits cadeaux à offrir aux invités, ils seront contents de remporter un petit souvenir.

Cache-sucette

Reproduire le patron du croquis avec, au choix, les oreilles d'ours, de lapin ou de cochon. Découper, en suivant le patron, deux épaisseurs de feutrine. Coudre tout autour, sauf en bas.

Décorer avec des crayons-feutre et des petits bouts de feutrine découpés et collés.

Enfiler une sucette à l'intérieur.

Quand la sucette sera mangée, il restera une petite marionnette à doigt.

Rond de serviette en fleur

Découper un cercle de feutrine de 3 cm de diamètre. Faire deux fentes. Passer un ruban par ces deux fentes.

Découper dans la feutrine, puis coller sur le tout : deux feuilles vertes, une fleur, le cœur de la fleur.

Nouer le ruban autour de la serviette.

Ensuite on pourra le mettre en bracelet ou en bandeau dans les cheveux.

Les cache-sucettes et les ronds de serviettes sont dessinés page 117.

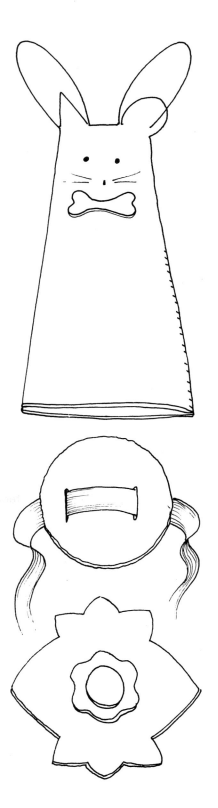

PETITS TRUCS DE FÊTE

C'est souvent les petits détails qui créent une ambiance de fête.

Jolies serviettes

Rouler les serviettes, les entourer d'un beau ruban et glisser dans le ruban une ou deux fleurs fraîches, sèches ou en tissu, ou encore une petite branche de sapin.

Ou encore, plier chaque serviette en accordéon, les disposer dans des verres et écarter le haut en éventail.

Verres personnalisés

Pour que chacun retrouve son propre verre, il y a plusieurs solutions.

On peut marquer des chiffres sur chaque verre avec du vernis à ongle coloré. Après la fête, on retire le vernis avec du dissolvant.

On peut aussi poser sur le rebord des verres des signets de papier. Reproduire le plan du signet ci-contre sur du papier blanc et le décorer avec des crayons-feutre en notant le prénom de l'invité. Plier le signet sur le pli du milieu, et mettre un point de colle à l'intérieur, près du pli.

Pailles papillons

Si on ne veut pas décorer les verres, on peut personnaliser les pailles. Découper des papillons de papier de couleurs différentes, en reproduisant le plan ci-contre. Attacher les papillons de papier sur les pailles avec un bout de fil de laiton ou un point de colle.

Glaçons fruitiers

Voici de drôles de glaçons à préparer quelques heures avant le goûter, et qui étonneront les invités.

Mettre de l'eau dans le bac à glace puis, dans chaque case mettre un petit fruit bien lavé : fraise, framboise, grain de raisin, quartier de clémentine, etc. Remettre le tout à glacer.

Pli du milieu

Plan du demi papillon

Plan du signet →